بسم الله الرحمن الرحيم

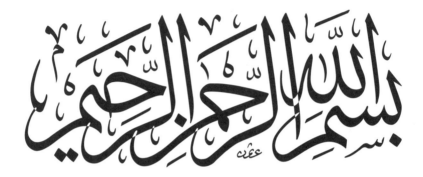

Safar I can read Qur'ān: Qā'idah

Fourth edition, 2014

Part of the Safar I can read Qur'ān Curriculum

Published by

Safar Academy, London, England

www.safaracademy.org

publications@safaracademy.org

ISBN 978-1-909966-00-0

A catalogue record for this book is available from the British Library.

Printed in Turkey

Safar
I can read
Qur'ān
Qā'idah

Contents

Preface

In the first year of Safar Academy's establishment in 1998, *Aḥsanul Qawā'id* was used as a base to teach children how to read the *Qur'ān*. However, it was soon clear that some comprehensions in *Aḥsanul* Qawā'id were insufficient but when other *Qa'idahs* were consulted they also appeared to have a number of deficiencies; this led the Safar Academy team incorporating all the best *Qa'idahs* available into one.

The task was a lengthy one and it has taken over ten years to arrive at the current publication. Initially, Muhammad Abdullah kindly handed over some of his personal collections in 2003; thereafter, Amjad Ali Shaikh collated this work with the works of several other *Qa'idahs* in 2005.

We then agreed to type the whole *Qa'idah*, which was a task completed by Mohammed Ali Muktadeer in 2007. This work initially impressed me but on closer observation I saw many letters - which were usually written in different styles in the *Qur'ān* - only appeared in one style in the newly-typed *Qaidah*. For this reason, Muhammad Abul Khair wrote the first edition by hand in 2009.

In 2012, the second edition was a huge step forward with digitised images of the famous 13-line *Qur'ān*. In addition, many progressive levels were clearly marked with guidelines - to both teachers and students – to highlight Safar Academy's teaching methods.

This third edition has been printed similar to the second edition except in a smaller size and without the guideline to teachers. Those interested in the guideline to teachers should obtain a copy of the second edition. Much of the feedback provided from teachers who used the second edition has helped to further enhance this current edition.

Most of this additional work, in both the second and third editions, has been carried out by Muhammed Muhi Uddin.

I thank all other members of our staff, who have helped to bring this work to its current stage; many of whom will go unmentioned but whose reward is with Allāh the Almighty. Special thanks go to Ishaq Ganee and Hussain Ahmed for their continuous advice; and to Reedwan Iqbal, Shahid Bukhari and Hamza Ahmad Khan for the design layout.

Lastly, I thank Allāh ﷾ for His help and pray to Him that He accepts this work from us and makes it a means of our salvation in the next life.

Your brother in Islam

Hasan Ali, MA Education (Psychology)

14th October 2013/ Yawm al-'Arafah, 9th Dhul Ḥijjah, 1434

About the Qāʿidah

The Safar Qāʿidah is vastly different from other *Qāʿidahs* available; below are some features that make it different:

Feedback: Every element of the *Qāʿidah* was developed based on feedback and consultation from teachers, and then tested and piloted within our madrasah.

Levels: The *Qāʿidah* has been divided into several sections; each section is called a Level, and students will learn a new lesson in each level.

Qurʾānic examples: All the examples in this *Qāʿidah* have been taken directly from the *Qurʾān*; not a single example is from outside the *Qurʾān*, with only the occasional removal of a *Wāw* of *ʿaṭf*.

Qurʾānic script: In this *Qāʿidah*, we have used the same hand-written script that is used in the 13-line *Qurʾān*, as it is widely used in many countries across the Globe. We feel that computer fonts and alternative calligraphers do not prepare the students well enough to read the *Qurʾānic* script in question.

Examples arrangement: Examples have been carefully arrange to progress from easy to difficult and short to long. Rules that have not been covered yet will not appear; for example, there will not be any examples containing ikhfāʾ in the *Qāʿidah*.

Complete and logical sequence: Each level ensures a gradual, logical progression and fills the gaps that exist in many of the current *Qāʿidahs*; for example, at the end of each level, students are given mixed exercises for revision and recap everything they have previously learned.

Complete syllabus: This *Qāʾidah* forms part of the complete and comprehensive Safar Tajwīd Curriculum , which is outlined in our other *Qurʾān* related publications.

Detailed letter recognition: Many teachers have observed that children often find it difficult to recognise the various forms and styles that are used for each letter. To tackle this, we have added a chapter, Advanced Letter Recognition, in which each method of writing is introduced separately with *Qurʾānic* examples. Graphics, where necessary, will be used to break down the writing; for example, نجـ , which most learners find difficult to read, will be explained using graphics.

Checklist: At the beginning of each level, there is a checklist of tasks already covered, so that learning can be properly monitored and assessed before progressing to a new level.

Encouragement through virtues: There is a saying of the Prophet Muḥammad ﷺ at the beginning of each level to remind the student of the virtue of learning and reciting the *Qurʾān*.

Diary: We have incorporated a diary section with each page where parents can record how much practice the student has made throughout the week. Teachers can also write the homework due-date and note when the student had passed; thereby allowing teachers, students and parents to keep track of progress.

Marking code: There is a code for marking mistakes, which allows the student, teacher and parents to know what specific type of mistake was made when reading to the teacher.

Extra practice: Where a need has been identified, supplementary exercises have been included in the appendices.

How to use the Qā'idah

To take most benefit from the *Qā'idah*, all its features should be used to their full. Below is an explanation for various elements. Ultimately, it is up to the teacher and the institute which of these elements are used and how. It is imperative that the teacher, management, student and parents all understand how each one is being used in their setting. Parents should ask the teacher if in any doubt.

Exercises

The words in black with small numbers above them are the actual exercises and should be set as homework. Grey writing is intended to be a visual aid for the student's reference. Also, in each page, the black words will be numbered and have a corresponding tick in the border whilst grey words will have neither a tick nor a number.

كـل م

٢١

كلمة

Due and pass ticks

In the border of each page, in line with the exercises, there are outlines for ticks. The first portion of the tick - the smaller portion - should be marked for the lines that the teacher wishes to set as homework. Once the student reads the homework to the teacher, the teacher can complete the ticks for the lines the student has passed. if there are any lines that the student does not pass, the first portion will remain.
In the example on the right, the student has passed the top

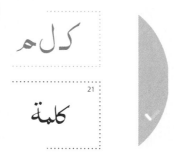

15

اَلسَّلَمُ

D: 22-9
P: 27-9

17

فَاتَّقُوا

D: 28-9

line but not the bottom one. The teacher may also use the empty space between the margin and text to write the date the homework is due and when the student passes. As an example, we have used "D:" for the date the homework was due and "P:" for the date the student passed. If the student passes on the due-date, the tick will suffice and a seperate pass-date will not be required.

Mistake code

Most mistakes fall into six categories and we have given each a letter:

- **L (Letter):** if the student reads the wrong letter; for example ش in place of س, or makes a mistake in letter recognition.

- **P (Pronunciation):** if he pronounces a letter incorrectly.

- **F (Fluency):** if he does not read fluently enough.

- **H (Ḥarakah):** if the wrong *ḥarakah* is read.

- **S (Stretch):** this covers two types of mistake: if they stretch a normal *ḥarakah*, or forget to stretch one of the six stretched *ḥarakahs*.

- **J (Joining):** if a mistake is made whilst joining one letter or word to another where there is a *sukūn* or *shaddah*.

The first time a student makes a mistake, the teacher may decide not to make a mark. If the same mistake is made again, a line or a circle may be drawn. If made for the third time, the marking code may be used. If the student still persists, a comment may be written in the white space around the exercise. Please see the example in the "Comments" section below.

Homework diary

TIME (MIN)	MON	TUE	WED	THU	FRI	SAT	SUN	PARENT INITIALS	PASS STAMP	21-9-13	START DATE
WEEK 1	20	15	20	20	25	30	30	HA	MMU	28-9-13	PASS DATE
WEEK 2											

The date for the commencing week should be written in the first column. Thereafter, under each day, parents can record how long the student practiced for, either by writing how many minutes they spent practicing or how many times they revised the homework. It is up to the teacher which method he prefers and he should make this clear to the students and parents from the outset. On the right hand side, the teacher may wish to write the date the page was started and then completed. Also, the teacher may place a sticker, use a stamp or sign in the "Pass Stamp" section.

Comments

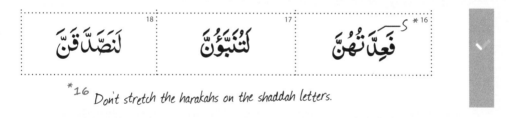

18	17	S *16
لَنَصَّدَّقَنَّ	لَتَنَبَّؤُنَّ	فَعِدَّتُهُنَّ

*16 Don't stretch the harakahs on the shaddah letters.

In this edition, there is no designated comment section. However, there are empty spaces around the exercises which can be used for comments. An indicator should be used to show which word or line the comment relates to.

Appendices

In the appendices, you will find supplementary exercises for certain parts of the *Qāʿidah*. If an exercise has a related appendix, a small note will appear at the end of the exercise pointing you to the relevant appendix.

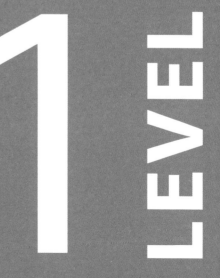

LEVEL

1

1 PRONUNCIATION

‣   The alphabet

STUDENT CHECKLIST:

By the end of this level, I should be able to:

 pronounce each letter correctly.

بِسۡمِ اللّٰهِ الرَّحۡمٰنِ الرَّحِيۡمِ ۝

With the name of Allāh, the Most Merciful, the Most Kind.

The alphabet

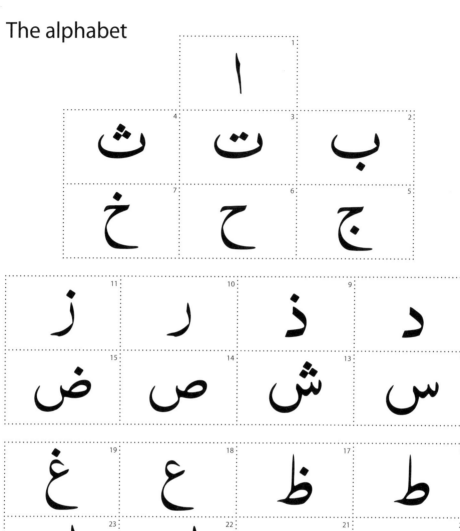

	1 ا	
4 ث	3 ت	2 ب
7 خ	6 ح	5 ج

11 ز	10 ر	9 ذ	8 د
15 ض	14 ص	13 ش	12 س

19 غ	18 ع	17 ظ	16 ط
23 ل	22 ك	21 ق	20 ف

26 ه	25 ن	24 م
29 ي	28 ء	27 و

See Appendix A

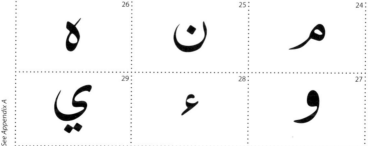

START DATE		PASS STAMP	TIME (MIN)	MON	TUE	WED	THU	FRI	SAT	SUN	PARENT INITIALS
PASS DATE			WEEK 1								
			WEEK 2								

MISTAKE KEY

LETTER
HARAKAH
JOIN
STRETCH
PRONUNCIATION
FLUENCY

HOMEW KEY

DU
PA

The Prophet ﷺ *said,*
"The best amongst you is he who learns the Qurʾān and teaches it to others."

(Bukhārī: 5027)

LEVEL 2

2 LETTER RECOGNITION

▸ Mixed alphabet

▸ Assorted letters

▸ Identity map

▸ Assorted joined letters

▸ First words

▸ Letter appearances

STUDENT CHECKLIST:

So far, I can:

 pronounce each letter correctly.

By the end of this level, I should be able to:

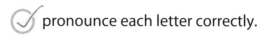 recognise a letter as soon as I see it.

Mixed Alphabet

5	4	3	2	1
ج	ل	ث	م	ح
10	**9**	**8**	**7**	**6**
ص	س	ز	ذ	ط
15	**14**	**13**	**12**	**11**
غ	ظ	خ	ض	ق
20	**19**	**18**	**17**	**16**
ي	ف	و	ن	ت
25	**24**	**23**	**22**	**21**
ر	ا	د	ك	ء
30	**29**	**28**	**27**	**26**
ه	ب	ع	ظ	ش

HOMEWORK KEY	TIME (MIN)	MON	TUE	WED	THU	FRI	SAT	SUN	PARENT INITIALS	PASS STAMP	START DATE
✔ DUE	WEEK 1 ▸										PASS DATE
✔ PASS	WEEK 2 ▸										

Assorted letters

9	8	7	6	5	4	3	2	1
ه	س	و	ح	ط	ء	ر	د	ا

18	17	16	15	14	13	12	11	10
ذ	ف	غ	ظ	ب	ن	ك	ص	ع

27	26	25	24	23	22	21	20	19
ت	ي	ش	ق	ج	ز	ض	ل	ث

36	35	34	33	32	31	30	29	28
ج	ص	ب	ء	ز	س	ي	ر	ه

45	44	43	42	41	40	39	38	37
ف	ش	ط	ذ	ل	ض	د	خ	ظ

54	53	52	51	50	49	48	47	46
و	ن	ق	ع	ح	م	ت	ا	ك

63	62	61	60	59	58	57	56	55
ق	ض	ح	ل	ج	ز	غ	س	م

72	71	70	69	68	67	66	65	64
ء	خ	ت	ب	ك	ن	ص	ه	ث

81	80	79	78	77	76	75	74	73
ن	م	ا	ظ	ش	د	ف	و	غ

90	88	88	87	86	85	84	83	82
ل	ق	ث	ي	ع	خ	ذ	ر	ط

See Appendix B

START DATE
PASS DATE

PASS STAMP

TIME (MIN)	MON	TUE	WED	THU	FRI	SAT	SUN	PARENT INITIALS
WEEK 1 ▸								
WEEK 2 ▸								

MISTAKE KEY
STRETCH ······ JOIN
LETTER ······ HARAK
يَسْعَى
FLUENCY ······
PRONUNCIATIO

Identity map

Note: There are 6 'naughty letters' which do not join with letters after them:

ا د ذ ر ز و

End	Middle	Beginning	Alone
ـا	....	....	ا
ـب	ـبـ	بـ	ب
ـت	ـتـ	تـ	ت
ـث	ـثـ	ثـ	ث
ـج	ـجـ	جـ	ج
ـح	ـحـ	حـ	ح
ـخ	ـخـ	خـ	خ
ـد	....	....	د
ـذ	....	....	ذ
ـر	....	....	ر
ـز	....	....	ز
ـس	ـسـ	سـ	س
ـش	ـشـ	شـ	ش
ـص	ـصـ	صـ	ص
ـض	ـضـ	ضـ	ض

End	Middle	Beginning	Alone
ـط	ـطـ	طـ	ط
ـظ	ـظـ	ظـ	ظ
ـع	ـعـ	عـ	ع
ـغ	ـغـ	غـ	غ
ـف	ـفـ	فـ	ف
ـق	ـقـ	قـ	ق
ـك	ـكـ	كـ	ك
ـل	ـلـ	لـ	ل
ـم	ـمـ	مـ	م
ـن	ـنـ	نـ	ن
ـه	ـهـ	هـ	ه
ـو	....	....	و
ـئ	ـئـ	ئـ	ء
ـي	ـيـ	يـ	ي
★	★	★	★

Assorted joined letters

9	8	7	6	5	4	3	2	1
ـت	ـس	ـهـ	ظـ	جـ	ـذ	ـل	ـد	فـ
18	**17**	**16**	**15**	**14**	**13**	**12**	**11**	**10**
ـعـ	ـط	ـمـ	ئـ	ـكـ	صـ	ـفـ	غـ	ـي
27	**26**	**25**	**24**	**23**	**22**	**21**	**20**	**19**
ـغ	ـض	قـ	ـسـ	ـخـ	ثـ	ـا	ـح	ـر

36	35	34	33	32	31	30	29	28
ـه	ـك	ـجـ	تـ	ـلـ	ـبـ	ـمـ	عـ	ظـ
45	**44**	**43**	**42**	**41**	**40**	**39**	**38**	**37**
ـحـ	ـئ	شـ	ـفـ	نـ	ـش	ـن	ـقـ	ـيـ
54	**53**	**52**	**51**	**50**	**49**	**48**	**47**	**46**
ـث	ـضـ	ـط	ـا	ـب	ـل	ـخ	ـز	سـ

63	62	61	60	59	58	57	56	55
ـشـ	ـحـ	ـتـ	ـخـ	ـل	ـج	ـس	ـذ	ضـ
72	**71**	**70**	**69**	**68**	**67**	**66**	**65**	**64**
ثـ	ـم	نـ	ـع	ـظـ	ـص	طـ	ـئـ	ـفـ
81	**80**	**79**	**78**	**77**	**76**	**75**	**74**	**73**
ـب	ـو	ـق	ـصـ	ـغـ	ـهـ	كـ	ـلـ	ـي
90	**88**	**88**	**87**	**86**	**85**	**84**	**83**	**82**
ـل	ـا	ـئـ	ـمـ	نـ	ـر	قـ	طـ	ـت

START DATE	PASS STAMP	TIME (MIN)	MON	TUE	WED	THU	FRI	SAT	SUN	PARENT INITIALS
PASS DATE		WEEK 1								
		WEEK 2								

MISTAKE KEY
LETTER
HARAKAH
JOIN
STRETCH
PRONUNCIATION
FLUENCY

HOMEWO KEY
DU
PA

First words

4	3	2	1
ثم	صر	كم	به

8	7	6	5
ظن	صم	لك	قد

12	11	10	9
غل	له	ما	هل
16	**15**	**14**	**13**
قل	شك	من	تر
20	**19**	**18**	**17**
مس	لو	شر	يد

24	23	22	21
ان	ضل	حب	حق
28	**27**	**26**	**25**
لن	حل	هو	بل
32	**31**	**30**	**29**
عن	هي	جن	مع

HOMEWORK KEY	**TIME** (MIN)	MON	TUE	WED	THU	FRI	SAT	SUN	PARENT INITIALS	PASS STAMP		
✓ DUE	WEEK 1											START DATE
✓ PASS	WEEK 2											PASS DATE

Letter appearances

ا .... ـا

5	4	3	2	1
غما	قال	مال	اي	اخ

ب بـ ـبـ ـب

10	9	8	7	6
يحب	قبل	نبغ	بسط	طاب

ت تـ ـتـ ـت

15	14	13	12	11
همت	قتل	تلك	تخف	بدت

ث ثـ ـثـ ـث

20	19	18	17	16
بعث	مثل	ثلث	ثمر	نرث

ج جـ ـجـ ـج

25	24	23	22	21
يلج	تجد	اجد	جنت	موج

START DATE	PASS STAMP	TIME (MIN)	MON	TUE	WED	THU	FRI	SAT	SUN	PARENT INITIALS
PASS DATE		WEEK 1								
		WEEK 2								

MISTAKE KEY

يَسْعَىٰ

JOIN
HARA
STRETCH
LETTER
FLUENCY
PRONUNCIAT

ح حـ ـحـ ـح

1	2	3	4	5
فرح	حرث	يحب	نكح	ريح

خ خـ ـخـ ـخ

6	7	8	9	10
باخ	خمط	نخل	يخش	شيخ

د .... ـد

11	12	13	14	15
دين	دون	يدك	عند	بعد

ذ .... ـذ

16	17	18	19	20
ذلك	ذو	هذه	نبذ	كذب

ر .... ـر

21	22	23	24	25
ربع	رهط	يرد	ذكر	كفر

HOMEWORK KEY

✓ DUE

✓ PASS

TIME (MIN)	MON	TUE	WED	THU	FRI	SAT	SUN	PARENT INITIALS	PASS STAMP		
WEEK 1											START DATE
WEEK 2											PASS DATE

ز .... ـز

5	4	3	2	1
نزل	زيغ	زوج	عزم	فاز

س سـ ـسـ ـس

10	9	8	7	6
بئس	حسن	غسق	سنن	سمع

ش شـ ـشـ ـش

15	14	13	12	11
بطش	بشر	عشر	شهر	شرا

ص صـ ـصـ ـص

20	19	18	17	16
يعص	نصف	صد ق	صفت	موص

ض ضـ ـضـ ـض

25	24	23	22	21
بعض	يضر	وضع	ضلل	عرض

START DATE	PASS STAMP	TIME (MIN)	MON	TUE	WED	THU	FRI	SAT	SUN	PARENT INITIALS
PASS DATE		WEEK 1								
		WEEK 2								

MISTAKE KEY

STRETCH · LETTER · FLUENCY · JOIN · HARA · PRONUNCIAT

يَسْعَىٰ

ط طـ ـطـ ـط

1	2	3	4	5
لوط	طبن	طاب	يطع	تطع

ظ ظـ ـظـ ـظ

6	7	8	9	10
ظلم	حظا	فظن	غيظ	حظ

ع عـ ـعـ ـع

11	12	13	14	15
جوع	عفا	بعث	معه	سمع

غ غـ ـغـ ـغ

16	17	18	19	20
نزغ	غما	يغل	بغم	نبغ

ف فـ ـفـ ـف

21	22	23	24	25
ردف	فيه	شفا	حفظ	الف

HOMEWORK KEY

- ✓ DUE
- ✓ PASS

TIME (MIN)	MON	TUE	WED	THU	FRI	SAT	SUN	PARENT INITIALS	PASS STAMP	
WEEK 1										START DATE
WEEK 2										PASS DATE

ق قـ ـقـ ـق

1	2	3	4	5
فوق	قبل	اقل	فقد	خلق

ك كـ ـكـ ـك

6	7	8	9	10
خدك	كيف	كتب	يكد	تلك

ل لـ ـلـ ـل

11	12	13	14	15
اول	ليس	ثلث	ظلل	عمل

م مـ ـمـ ـم

16	17	18	19	20
يوم	اما	فمن	همت	لهم

ن نـ ـنـ ـن

21	22	23	24	25
وان	نقص	نفخ	عند	بمن

START DATE	PASS STAMP	TIME (MIN)	MON	TUE	WED	THU	FRI	SAT	SUN	PARENT INITIALS
PASS DATE		WEEK 1								
		WEEK 2								

MISTAKE KEY

يَسْعَىٰ

STRETCH · LETTER · FLUENCY · JOIN · HARA · PRONUNCIAT

ه هـ ـهـ ـه

5	4	3	2	1
معه	انه	يهد	هدي	هذه

و .... ـو

10	9	8	7	6
غول	سوط	قوم	وله	دون

ء ئـ ـئـ ـئ

15	14	13	12	11
شاطئ	جئت	ائت	شاء	ماء

ي يـ ـيـ ـي

20	19	18	17	16
ففي	يحي	غيب	ايت	هدي

AKE KEY	HOMEWORK KEY	TIME (MIN)	MON	TUE	WED	THU	FRI	SAT	SUN	PARENT INITIALS	PASS STAMP		START DATE
ER AKAH	DUE	WEEK 1											PASS DATE
TCH NUNCIATION NCY	PASS	WEEK 2											

The Prophet ﷺ said,

"Whoever reads a letter of the Qur'ān will receive a reward, and each reward will be multiplied by ten."

(Tirmidhī: 2910)

3 LEVEL

3 FLUENCY IN SPELLING WHOLE WORDS

▸ Whole-word exercise

STUDENT CHECKLIST:

So far, I can:

- ✓ pronounce each letter correctly.
- ✓ recognise a letter as soon as I see it.

By the end of this level, I should be able to:

- 🎯 spell a whole word quickly.

Whole-word exercise

5	4	3	2	1
رسل	نفس	تخف	اهل	تمش
10 غدا	9 لهن	8 وبث	7 حبل	6 مرض
15 ذات	14 عهد	13 عدل	12 يده	11 يعض
20 فضل	19 فقل	18 فظا	17 جاء	16 حاج

25	24	23	22	21
يكشف	دعاه	انهرا	ءالله	عصوا
30 ايان	29 بشرا	28 يرسل	27 ظلمت	26 قرارا
35 جنوده	34 لفسدت	33 تنكح	32 تولج	31 اكثر
40 طالوت	39 تولوا	38 نقاتل	37 لعلهم	36 جاوزه
45 ليكون	44 يهتدي	43 خللها	42 مبصرا	41 شجرها

See Appendix C

HOMEWORK KEY	TIME (MIN)	MON	TUE	WED	THU	FRI	SAT	SUN	PARENT INITIALS	PASS STAMP	START DATE
✓ DUE	WEEK 1										PASS DATE
✓ PASS	WEEK 2										

5 مهلكي	4 متعنه	3 خلفاء	2 رحمته	1 رواسي
10 ظلمنا	9 اختلط	8 قرطاس	7 هاتوا	6 يعيده
15 اجعلنا	14 لتخذت	13 فانفخ	12 علمهم	11 ائتوا
20 ينطقون	19 برهانكم	18 اخرجنا	17 تذكرون	16 تطعهما

24 يبعثون	23 يستضعف	22 تحسبها	21 السموت
28 مدبرين	27 تقتلوه	26 العزيز	25 ارضعيه
32 خطبكما	31 مسلمون	30 ينفعنا	29 ضللتهم
36 يختلفون	35 يستطيع	34 ولملئت	33 فانفلق
40 اصوافها	39 لمنجوهم	38 يدخلونها	37 للنظرين

START DATE	PASS STAMP	TIME (MIN)	MON	TUE	WED	THU	FRI	SAT	SUN	PARENT INITIALS
PASS DATE		WEEK 1								
		WEEK 2								

MISTAKE KEY

STRETCH, LETTER, JOIN, HARAK, FLUENCY, PRONUNCIATI

يَسْعَىٰ

3 يتلونه	2 تنهرهما	1 يتفكرو ن
6 تتفرقوا	5 متشابها	4 الكفرون
9 فاستغاثه	8 فتحسسوا	7 يستحيون
12 بالقسطاس	11 تستخرجوا	10 المبذرين

15 فاخلفتكم	14 استضعفوا	13 ينكرونها
18 يتساء لون	17 سرابيلهم	16 المتطهرين
21 المستاخرين	20 يسومونكم	19 يستقدمون
24 ويستعجلونك	23 المستهزء ين	22 يتغامزون
27 تستخفونها	26 فسيكفيكهم	25 لنسكننكم

See Appendix D

TAKE KEY	HOMEWORK KEY	TIME (MIN)	MON	TUE	WED	THU	FRI	SAT	SUN	PARENT INITIALS	PASS STAMP		START DATE
TER AKAH N ETCH NUNCIATION ENCY	✓ DUE ✓ PASS	WEEK 1											PASS DATE
		WEEK 2											

The Prophet ﷺ said,

"If a group of people gather in a masjid to recite the Qurʾān and study it, peace comes down on them, mercy surrounds them, angels gather around them and Allāh talks about them to the angels."

(Muslim: 2699)

4

LEVEL

4 ADVANCED LETTER RECOGNITION

▸ Advanced joined letter examples

▸ Word diagrams

▸ Mixed exercise

▸ Difficult combinations

▸ Difference between Lām and Alif

▸ Advanced identity map

▸ Mixed exercise

STUDENT CHECKLIST:

So far, I can:

☑ pronounce each letter correctly.

☑ recognise a letter as soon as I see it.

By the end of this level, I should be able to:

◎ spell any word quickly.

Advanced joined letters examples

ت	ـت
or	or
ة	ـة

5	4	3	2	1
حبة	فئة	امة	ذرة	صخرة

ـك	ـكـ	كـ	ك
or	or	or	or
ـك	ـكـ	كـ	ك

10	9	8	7	6
ملك	لكم	اكن	اكون	ترك

ـيـ	ـنـ	ـثـ	ـتـ	ـبـ
or	or	or	or	or
ـيـ	ـنـ	ـثـ	ـتـ	ـبـ

15	14	13	12	11
حميم	جهنم	كثر	كنتم	كتبت

HOMEWORK KEY	TIME (MIN)	MON	TUE	WED	THU	FRI	SAT	SUN	PARENT INITIALS	PASS STAMP		START DATE
DUE	WEEK 1											PASS DATE
PASS	WEEK 2											

ے	ى	ي
or	or	or
ے	ى	ي

5	4	3	2	1
غنى	الى	ولى	اذى	كفى

ز	ز	ر	ر
or	or	or	or
ز	ز	ر	ر

د or ه or م

10	9	8	7	6
رجز	جاز	ضرب	سر	دار

15	14	13	12	11
مكة	ملة	ما	امرئ	رمى

START DATE	PASS STAMP	TIME (MIN)	MON	TUE	WED	THU	FRI	SAT	SUN	PARENT INITIALS
PASS DATE		WEEK 1								
		WEEK 2								

MISTAKE KEY

STRETCH, LETTER, FLUENCY, JOIN, HARAKA, PRONUNCIATION — يَسْعىٰ

ـم	ـم	م
or	or	or
ـم	ـم	م

5	4	3	2	1
لحم	تقم	فلم	نعم	قوم

See Appendix E

ـئ	ـئـ	ئـ	ء
or	or	or	or
ـؤ	ـإ	إ	ؤ

*10	9	8	7	6
لؤلؤ	جزؤا	يؤت	سئل	يئس

ـخـ	ـحـ	جـ
or	or	or
ـخـ	ـحـ	جـ

15	14	13	12	11
سخر	محبة	سحر	اضحك	لعجل

HOMEWORK KEY	TIME (MIN)	MON	TUE	WED	THU	FRI	SAT	SUN	PARENT INITIALS	PASS STAMP		START DATE
DUE	WEEK 1											PASS DATE
PASS	WEEK 2											

ج or ج — ح or ح — خ or خ

1	2	3	4	5
ح	حجة	اخ	حجر	جحيم

ـمـ or ـمـ or ـمـ or ـمـ

6	7	8	9	10
قسمة	بحمد	خمرا	جمع	نعمت

ـهـ or ـهـ or ـهـ or ـهـ

11	12	13	14	15
فهي	لهم	مهدا	فهم	لها

ب or ب — ت or ت — ث or ث — ن or ن — ي or ي

16	17	18	19	20
بحمد	تحت	ثجاجا	يحب	نخل

START DATE	PASS STAMP	TIME (MIN)	MON	TUE	WED	THU	FRI	SAT	SUN	PARENT INITIALS
PASS DATE		WEEK 1								
		WEEK 2								

JOIN · HARAK · STRETCH · LETTER · يَسْعٰى · FLUENCY · PRONUNCIATI

ـيـ	ـنـ	ـثـ	ـتـ	ـبـ
or	or	or	or	or
ـيـ	ـنـ	ـثـ	ـتـ	ـبـ

5	4	3	2	1
هيئ	غنى	انثى	متم	نبى

See Appendix F

يـ	نـ	ثـ	تـ	بـ
or	or	or	or	or
يـ	نـ	ثـ	تـ	بـ
or	or	or	or	or
يـ	نـ	ثـ	تـ	بـ

10	9	8	7	6
مريم	ادنى	ثم	تمت	ابى

خ	ح	ج
or	or	or
خـ	حـ	جـ

15	14	13	12	11
باخ	روح	قرح	نوح	موج

HOMEWORK KEY	TIME (MIN)	MON	TUE	WED	THU	FRI	SAT	SUN	PARENT INITIALS	PASS STAMP		START DATE
DUE	WEEK 1											PASS DATE
PASS	WEEK 2											

خ or ـخ	ح or ـح	ج or ـج

5	4	3	2	1
شيخ	نكح	ريح	يلج	حجج

خ or ـغ	غ or ـغ	ع or ـع	ع or ـع

10	9	8	7	6
نبغ	بلغ	نزغ	ربع	جوع

ـغ or ـغـ	ـغـ or ـغـ	ـع or ـعـ	ـعـ or ـعـ

15	14	13	12	11
زيغ	يغل	بغم	معع	سعر

START DATE	PASS STAMP	TIME (MIN)	MON	TUE	WED	THU	FRI	SAT	SUN	PARENT INITIALS
PASS DATE		WEEK 1								
		WEEK 2								

MISTAKE KEY

STRETCH · LETTER · FLUENCY · JOIN · HARAK · PRONUNCIATI

يَسْعىٰ

ـئ or ئ or ـئـ

5	4	3	2	1
فسئل	الئن	طئر	لئن	بئر

ر or ل

10	9	8	7	6
لخسف	لحن	لجوا	لحب	لحق

ـة or ة   ـه or ه

15	14	13	12	11
سبعة	سنة	ملة	نعمه	انه

TAKE KEY	HOMEWORK KEY	TIME (MIN)	MON	TUE	WED	THU	FRI	SAT	SUN	PARENT INITIALS	PASS STAMP		START DATE
TER AKAH ETCH NUNCIATION ENCY	✓ DUE ✓ PASS	WEEK 1											PASS DATE
		WEEK 2											

Word diagrams

لحق	لعجل	بحمد
لحق	لعجل	بحمد
ر د ح ق	ل ـ ج ـ ع ل	ل ـ ح ـ ب
سحر	بخس	الله
سحر	بخس	ا ل ه
س ح ر	ب خ س	ه ل ل ا
نخل	نبى	رمى
ن خ ل	ن ب ى	رمى
تمت	حجة	قسمة
ت م ت	ح ج ة	قسمة
نجا	منهم	اضحك
نجا	م ن ه م	اضحك

Mixed excercise

5	4	3	2	1
باغ	نفخ	سبح	تبع	صبغ
10	**9**	**8**	**7**	**6**
حج	فتح	انى	تضع	بلغ
15	**14**	**13**	**12**	**11**
نسمع	متاع	افرغ	الحج	ربى
20	**19**	**18**	**17**	**16**
برزخ	الحق	انما	حمله	تتبع

24	23	22	21
بروح	الحجر	تولج	ينكح
28	**27**	**26**	**25**
ربهم	يبلغ	جناح	اشرح
32	**31**	**30**	**29**
المسيح	الريح	تنزع	سميع
36	**35**	**34**	**33**
لعلهم	ليئوس	الحيوة	البلغ

HOMEWORK KEY

- ✓ DUE
- ✓ PASS

TIME (MIN)	MON	TUE	WED	THU	FRI	SAT	SUN	PARENT INITIALS	PASS STAMP	START DATE
WEEK 1										PASS DATE
WEEK 2										

3 تسريح	2 صلاته	1 الجحيم
6 معارج	5 نمدهم	4 جمعهم
9 فدمرنها	8 متفرقة	7 فاصفح
12 والحكمة	11 السميع	10 واخراج

15 يستطع	14 جميعا	13 يسمعها
18 الخلقين	17 ايمانهم	16 يعلمون
21 فاخذتهم	20 وامراتى	19 المضاجع
24 نستنسخ	23 معروفة	22 اضغاث

START DATE	PASS STAMP	TIME (MIN)	MON	TUE	WED	THU	FRI	SAT	SUN	PARENT INITIALS
PASS DATE		WEEK 1								
		WEEK 2								

MISTAKE KEY

STRETCH, LETTER, FLUENCY, JOIN, HARA, PRONUNCIAT

يَسْعىٰ

Difficult combinations

لا ◄	لا ◄	ل ا ◄	ل ا
لا ◄	لا ◄	ل ا ◄	ل ا
لا ◄	لا ◄	ل ا ◄	ل ا
كا ◄	كا ◄	ك ا ◄	ك ا
كل ◄	كل ◄	ك ل ◄	ك ل
كلا ◄	كلا ◄	ك لا ◄	ك ل ا
كلم ◄	كلم ◄	ك لم ◄	ك ل م

4 بدلا	3 الا	2 بلاء	1 فلا
8 كلمة	7 بكل	6 نكالا	5 كانا
12 كلما	11 توكل	10 فكلا	9 كلا

HOMEWORK KEY	TIME (MIN)	MON	TUE	WED	THU	FRI	SAT	SUN	PARENT INITIALS	PASS STAMP		START DATE
✓ DUE	WEEK 1											PASS DATE
✓ PASS	WEEK 2											

Difference between Lām and Alif

End	Middle	Beginning	Alone
ـا	....	....	ا
ـل	ـلـ	لـ/لر	ل

4	3	2	1
لحما	حلل	ما لا	الم
8	7	6	5
لجعله	غالب	يغلب	للحى
12	11	10	9
لا الى	بالحق	يضلل	لا الے
16	15	14	13
الالباب	لئلا	رجالا	بالحاد

START DATE	PASS STAMP	TIME (MIN)	MON	TUE	WED	THU	FRI	SAT	SUN	PARENT INITIALS
PASS DATE		WEEK 1								
		WEEK 2								

MISTAKE KEY

STRETCH, LETTER, FLUENCY, JOIN, HARA, PRONUNCIAT

يَسْعىٰ

Advanced identity map

End	Middle	Beginning	Alone
ـط	ـطـ	طـ	ط
ـظ	ـظـ	ظـ	ظ
ـع	ـعـ	عـ	ع
ـغ	ـغـ	غـ	غ
ـف	ـفـ	فـ	ف
ـق	ـقـ	قـ	ق
ـك	ـكـ	كـ	ك
ـل	ـلـ	لـ	ل
ـم	ـمـ	مـ	م
ـن	ـنـ	نـ	ن
ـه	ـهـ	هـ	ه
ـو	....	....	و
ـئ ـؤ	ـئـ	أ ئـ	ء ؤ أ
ـي ـى	ـيـ	يـ	ي ى
★	★	★	★

End	Middle	Beginning	Alone
ـا	....	....	ا
ـب	ـبـ	بـ	ب
ـت ـة	ـتـ	تـ	ت ة
ـث	ـثـ	ثـ	ث
ـج	ـجـ	جـ	ج
ـح	ـحـ	حـ	ح
ـخ	ـخـ	خـ	خ
ـد	....	....	د
ـذ	....	....	ذ
ـر	....	....	ر
ـز	....	....	ز
ـس	ـسـ	سـ	س
ـش	ـشـ	شـ	ش
ـص	ـصـ	صـ	ص
ـض	ـضـ	ضـ	ض

Mixed excercise

4	3	2	1
ربى	حج	مما	بشر
8	7	6	5
بعوضة	تكلف	فيما	قاب
12	11	10	9
ملئكة	كلحون	ندمين	نكلف
16	15	14	13
فيوفيهم	تاكلون	ازواج	الاثم

20	19	18	17
اصطفى	اماني	لامنتهم	بحمدك
24	23	22	21
الانهر	كمشكوة	الخيرت	نجينكم
28	27	26	25
فيخرج	لئيكة	للاكلين	يحييكم
32	31	30	29
واترفنهم	مخرجون	افكلما	اتخذتم

START DATE	PASS STAMP	TIME (MIN)	MON	TUE	WED	THU	FRI	SAT	SUN	PARENT INITIALS
PASS DATE		WEEK 1								
		WEEK 2								

MISTAKE KEY
LETTER
HARAKAH
JOIN
STRETCH
PRONUNCIATION
FLUENCY

3 حميما	2 نخاطبني	1 لمسجد
6 بينهما	5 عليين	4 النبين
9 استكبر	8 فاينما	7 والركع

12 تلاوته	11 الاسماء	10 اعتمر
15 والانثى	14 بمزحزحه	13 يتمنوه
18 ليصبحن	17 يتجنبها	16 بالانثى

21 سمعتموه	20 شهدت	19 مترفيهم
24 اتحدثونهم	23 لمهجرين	22 المحصنت
27 يقاتلونكم	26 لمحجوبون	25 يستفتحون

TAKE KEY
ER
AKAH
TCH
NUNCIATION
ENCY

HOMEWORK KEY
DUE
PASS

TIME (MIN)	MON	TUE	WED	THU	FRI	SAT	SUN	PARENT INITIALS	PASS STAMP	
WEEK 1										START DATE
WEEK 2										PASS DATE

The Prophet ﷺ said that
whoever reads the Qurʾān and acts upon it, on the Day
of Judgement his parents will be given crowns that will
shine more than the sun.

(Abu Dāwūd: 1453)

5

LEVEL

5 HARAKAHS

‣ Fatḥah

‣ Kasrah

‣ Ḍammah

‣ Advanced pronunciation practice

‣ Similar letters

‣ Mixed exercise

‣ Fatḥatayn

‣ Kasratayn

‣ Ḍammatayn

‣ Mixed exercise

STUDENT CHECKLIST:

So far, I can:

✓ pronounce each letter correctly.

✓ recognise a letter as soon as I see it.

✓ spell any word quickly.

By the end of this level, I should be able to:

✓ read a whole word quickly.

✓ read *harakahs* correctly.

✓ read all letters the same length without stretching any of them.

Tips:

Read the words quickly and without a tune.

Make sure each *harakah* is pronounced sharply and clearly and not with a slanted sound.

Read all the letters the same length without stretching any of them more than others.

Fatḥah

10 رَ	9 ذَ	8 دَ	7 خَ	6 حَ	5 جَ	4 ثَ	3 تَ	2 بَ	1 أَ
20 فَ	19 غَ	18 عَ	17 ظَ	16 طَ	15 ضَ	14 صَ	13 شَ	12 سَ	11 زَ
★	29 ىَ	28 ءَ	27 وَ	26 هَ	25 نَ	24 مَ	23 لَ	22 كَ	21 قَ

33 حَسَدَ	32 جَمَعَ	31 بَلَغَ	30 أَمَرَ
37 سَرَقَ	36 زَعَمَ	35 ذَكَرَ	34 رَفَعَ
41 خَسَفَ	40 كَفَرَ	39 ظَلَمَ	38 صَدَقَ

45 ظَهَرَ	44 وَهَبَ	43 حَكَمَ	42 وَزَرَ
49 نَظَرَ	48 ضَرَبَ	47 ذَرَأَ	46 مَرَجَ
53 فَتَحَ	52 حَضَرَ	51 نَبَذَ	50 عَبَسَ

57 فَعَلَ	56 فَرَضَ	55 رَفَثَ	54 غَفَرَ
61 جَعَلَ	60 هَلَكَ	59 تَرَكَ	58 أَخَذَ
65 كَتَبَ	64 صَرَفَ	63 خَلَقَ	62 ذَهَبَ

HOMEWORK KEY	TIME (MIN)	MON	TUE	WED	THU	FRI	SAT	SUN	PARENT INITIALS	PASS STAMP	12/09/15	START DATE
✓ DUE	WEEK 1											PASS DATE
✓ PASS	WEEK 2											

Kasrah

10	9	8	7	6	5	4	3	2	1
رِ	ذِ	دِ	خِ	حِ	جِ	ثِ	تِ	بِ	إِ
20	19	18	17	16	15	14	13	12	11
فِ	غِ	عِ	ظِ	طِ	ضِ	صِ	شِ	سِ	زِ
	29	28	27	26	25	24	23	22	21
★	يِ	ءِ	وِ	هِ	نِ	مِ	لِ	كِ	قِ

33	32	31	30
مَلِكَ	بَقِيَ	وَرِقَ	سَخِرَ
37	36	35	34
بَرِقَ	شِيَةَ	إِرَمَ	عَلِمَ
41	40	39	38
حَبِطَ	يَلِجَ	شِبَعِ	خَسِرَ

45	44	43	42
غَضِبَ	آثَرِ	شَرِبَ	يَئِسَ
49	48	47	46
كَرِهَ	حَسِبَ	عَوِجَ	شَهِدَ
53	52	51	50
تَرَنِ	سَفِهَ	تَبِعَ	عَمِلَ

57	56	55	54
رَحِمَ	نَبَإِ	فَلِمَ	رَضِيَ
61	60	59	58
وَسِعَ	فَرِحَ	خَطِفَ	قِبَلَ
65	64	63	62
يَدِيَ	تَجِدَ	غَسَقِ	سَخِطَ

START DATE	3/10/16	PASS STAMP	TIME (MIN)	MON	TUE	WED	THU	FRI	SAT	SUN	PARENT INITIALS
PASS DATE			WEEK 1								
			WEEK 2								

MISTAKE KEY
STRETCH · JOIN · HARAK · LETTER · FLUENCY · PRONUNCIATI

يَسْعَى

Ḍammah

1 أُ	2 بُ	3 تُ	4 ثُ	5 جُ	6 حُ	7 خُ	8 دُ	9 ذُ	10 رُ
11 زُ	12 سُ	13 شُ	14 صُ	15 ضُ	16 طُ	17 ظُ	18 عُ	19 غُ	20 فُ
21 قُ	22 كُ	23 لُ	24 مُ	25 نُ	26 هُ	27 وُ	28 ءُ	29 ىُ	★

30 خُلِقَ	31 مَثَلُ	32 سُئِلَ	33 صُحُفِ
34 أُذِنَ	35 وَهُوَ	36 تَضَعُ	37 حُشِرَ
38 يَهَبُ	39 قُدِرَ	40 أُذُنُ	41 يَضَعُ

42 لُعِنَ	43 كَثُرَ	44 وُضِعَ	45 جُعِلَ
46 زُبُرَ	47 يَرِثُ	48 خَبُثَ	49 هُدِىَ
50 قُرِئَ	51 كَبُرَ	52 خُلُقُ	53 يَعِدُ

54 تَزِرُ	55 كُتِبَ	56 مُنِعَ	57 وُعِدَ
58 ضَعُفَ	59 زُبُرِ	60 نُفِخَ	61 سُبُلَ
62 سُقِطَ	63 رُسُلُ	64 عُفِىَ	65 أُخَرَ

See Appendix G

HOMEWORK KEY	TIME (MIN)	MON	TUE	WED	THU	FRI	SAT	SUN	PARENT INITIALS	PASS STAMP	3/10/16 START DATE
✓ DUE	WEEK 1										PASS DATE
✓ PASS	WEEK 2										

Advanced pronunciation practice

6 بُ	5 بِ	4 بَ	3 اُ	2 اِ	1 اَ
12 ثُ	11 ثِ	10 ثَ	9 تُ	8 تِ	7 تَ
18 حُ	17 حِ	16 حَ	15 جُ	14 جِ	13 جَ
24 دُ	23 دِ	22 دَ	21 خُ	20 خِ	19 خَ
30 رُ	29 رِ	28 رَ	27 ذُ	26 ذِ	25 ذَ
36 سُ	35 سِ	34 سَ	33 زُ	32 زِ	31 زَ
42 صُ	41 صِ	40 صَ	39 شُ	38 شِ	37 شَ
48 طُ	47 طِ	46 طَ	45 ضُ	44 ضِ	43 ضَ
54 عُ	53 عِ	52 عَ	51 ظُ	50 ظِ	49 ظَ
60 فُ	59 فِ	58 فَ	57 غُ	56 غِ	55 غَ
66 كُ	65 كِ	64 كَ	63 قُ	62 قِ	61 قَ
72 مُ	71 مِ	70 مَ	69 لُ	68 لِ	67 لَ
78 وُ	77 وِ	76 وَ	75 نُ	74 نِ	73 نَ
84 ءُ	83 ءِ	82 ءَ	81 هُ	80 هِ	79 هَ
★	★	★	87 ىُ	86 ىِ	85 ىَ

See Appendix H

START DATE	PASS STAMP	TIME (MIN)	MON	TUE	WED	THU	FRI	SAT	SUN	PARENT INITIALS
PASS DATE		WEEK 1								
		WEEK 2								

MISTAKE KEY

JOIN · HARAK · STRETCH · LETTER · FLUENCY · PRONUNCIATIC

يَسْعَىٰ

Similar letters

6 عُ	5 اُ	4 عِ	3 اِ	2 عَ	1 اَ
12 طُ	11 تُ	10 طِ	9 تِ	8 طَ	7 تَ
18 شُ	17 ثُ	16 شِ	15 ثِ	14 شَ	13 ثَ

24 هُ	23 حُ	22 هِ	21 حِ	20 هَ	19 حَ
30 غُ	29 خُ	28 غِ	27 خِ	26 غَ	25 خَ
36 ضُ	35 دُ	34 ضِ	33 دِ	32 ضَ	31 دَ

42 ظُ	41 ذُ	40 ظِ	39 ذِ	38 ظَ	37 ذَ
48 لُ	47 رُ	46 لِ	45 رِ	44 لَ	43 رَ
54 ثُ	53 ذُ	52 ثِ	51 ذِ	50 ثَ	49 ذَ

HOMEWORK KEY	TIME (MIN)	MON	TUE	WED	THU	FRI	SAT	SUN	PARENT INITIALS	PASS STAMP		START DATE
✓ DUE	WEEK 1											PASS DATE
✓ PASS	WEEK 2											

6 زُ	5 ذُ	4 زِ	3 ذِ	2 زَ	1 ذَ
12 سُ	11 ثُ	10 سِ	9 ثِ	8 سَ	7 ثَ
18 هُ	17 ءُ	16 هِ	15 ءِ	14 هَ	13 ءَ

24 ظُ	23 ضُ	22 ظِ	21 ضِ	20 ظَ	19 ضَ
30 صُ	29 سُ	28 صِ	27 سِ	26 صَ	25 سَ
36 كُ	35 قُ	34 كِ	33 قِ	32 كَ	31 قَ

42 وُ	41 رُ	40 وِ	39 رِ	38 وَ	37 رَ
48 زُ	47 ظُ	46 زِ	45 ظِ	44 زَ	43 ظَ
54 ثُ	53 فُ	52 ثِ	51 فِ	50 ثَ	49 فَ

START DATE	PASS STAMP	TIME (MIN)	MON	TUE	WED	THU	FRI	SAT	SUN	PARENT INITIALS
PASS DATE		WEEK 1								
		WEEK 2								

MISTAKE KEY

STRETCH · LETTER · JOIN · HARAKAH · FLUENCY · PRONUNCIATION

يَسْعَىٰ

Mixed excercise

4	3	2	1
نُرِيَ	وُضِعَ	سُنَنَ	ذُبِحَ
8	7	6	5
بَخِلَ	عُرِضَ	بُغِيَ	زُبُرَ
12	11	10	9
خَلَقَكَ	لَبَرَزَ	وَجَدَكَ	دُعِيَ
16	15	14	13
شَجَرَةٍ	لَلَبِثَ	رَجِلِكَ	فَصَعِقَ
20	19	18	17
عُنُقِكَ	فَعَقَرَ	ثُلُثِيَ	لَنُبِذَ
24	23	22	21
لَقُضِيَ	عَضُدَكَ	عَمَلُكَ	فَبُهِتَ
28	27	26	25
فَطَفِقَ	فَبَعَثَ	فَفَسَقَ	فَطُبِعَ
32	31	30	29
فَبَصَرُكَ	مَنَعَكَ	كَمَثَلِ	فَقُطِعَ
36	35	34	33
لِيَذَرَ	فَعَدَلَكَ	قِبَلَكَ	لِخَزَنَةِ

HOMEWORK KEY	TIME (MIN)	MON	TUE	WED	THU	FRI	SAT	SUN	PARENT INITIALS	PASS STAMP		
✓ DUE	WEEK 1								∽		10/10/15	START DATE
✓ PASS	WEEK 2										24/10/15	PASS DATE

Fatḥatayn

10	9	8	7	6	5	4	3	2	1
رًا	ذًا	دًا	خًا	حًا	جًا	ثًا	تًا	بًا	اً
20	19	18	17	16	15	14	13	12	11
فًا	غًا	عًا	ظًا	طًا	ضًا	صًا	شًا	سًا	زًا
★	29	28	27	26	25	24	23	22	21
	يًا	ءً	وًا	هًا	نًا	مًا	لًا	كًا	قًا

33	32	31	30
مَثَلًا	عِنَبًا	كُفُوًا	اَبَدًا
37	36	35	34
رَغَدًا	جَنَفًا	سُرُرًا	ثَمَنًا
41	40	39	38
غَدَقًا	رُسُلًا	قَصَصًا	لِبَدًا
45	44	43	42
حَكَمًا	هُزُوًا	سَلَمًا	اَسَفًا

49	48	47	46
جُرُزًا	اَمَلًا	كَذِبًا	شَطَطًا
53	52	51	50
ذُلُلًا	رَهَقًا	فُرُطًا	زَلَقًا
57	56	55	54
طَلَبًا	حِوَلًا	رَشَدًا	مَلَكًا
61	60	59	58
صَدَقَةً	كَلِمَةً	وَزُلَفًا	قِرَدَةً

START DATE	24/10/15	PASS STAMP	TIME (MIN)	MON	TUE	WED	THU	FRI	SAT	SUN	PARENT INITIALS
PASS DATE	7/11/15	☆	WEEK 1								
			WEEK 2								

MISTAKE KEY

JOIN
HARA
STRETCH
LETTER
يَسْعىٰ
FLUENCY
PRONUNCIAT

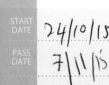

Kasratayn

1	2	3	4	5	6	7	8	9	10
اٍ	بٍ	تٍ	ثٍ	جٍ	حٍ	خٍ	دٍ	ذٍ	رٍ

11	12	13	14	15	16	17	18	19	20
زٍ	سٍ	شٍ	صٍ	ضٍ	طٍ	ظٍ	عٍ	غٍ	فٍ

21	22	23	24	25	26	27	28	29	
قٍ	كٍ	لٍ	مٍ	نٍ	هٍ	وٍ	ءٍ	يٍ	★

30 كَبَدٍ	31 بِدَمٍ	32 مَسَدٍ	33 أُكُلٍ
34 لِغَدٍ	35 عَلَقٍ	36 كُتُبٍ	37 لَهَبٍ
38 فُرُشٍ	39 شُعَبٍ	40 فَلَكٍ	41 طَبَقٍ
42 دُسُرٍ	43 سَنَةٍ	44 نَهَرٍ	45 جُدُرٍ

46 عِوَجٍ	47 كَذِبٍ	48 قَدَرٍ	49 حَسَنٍ
50 فِئَةٍ	51 حَرَجٍ	52 أَحَدٍ	53 نُكُرٍ
54 عَجَلٍ	55 غَضَبٍ	56 سُعُرٍ	57 قَبَسٍ
58 بِشَرَرٍ	59 هُمَزَةٍ	60 سَفَرَةٍ	61 بِثَمَنٍ

HOMEWORK KEY	TIME (MIN)	MON	TUE	WED	THU	FRI	SAT	SUN	PARENT INITIALS	PASS STAMP		
✓ DUE	WEEK 1										7/11/15	START DATE
✓ PASS	WEEK 2										05/12/15	PASS DATE

Ḍammatayn

10	9	8	7	6	5	4	3	2	1
رٌ	ذٌ	دٌ	خٌ	حٌ	جٌ	ثٌ	تٌ	بٌ	اٌ
20	**19**	**18**	**17**	**16**	**15**	**14**	**13**	**12**	**11**
فٌ	غٌ	عٌ	ظٌ	طٌ	ضٌ	صٌ	شٌ	سٌ	زٌ
★	**29**	**28**	**27**	**26**	**25**	**24**	**23**	**22**	**21**
	ىٌ	ءٌ	وٌ	هٌ	نٌ	مٌ	لٌ	كٌ	قٌ

33	32	31	30
خُشُبٌ	اَشِرٌ	اَجَلٌ	عَسِرٌ
37	**36**	**35**	**34**
نَصَبٌ	حُمُرٌ	سَكَنٌ	نَجَسٌ
41	**40**	**39**	**38**
مَلَاٌ	قَسَمٌ	حُرُمٌ	ظَمَاٌ
45	**44**	**43**	**42**
سِنَةٌ	قَدَمٌ	زَبَدٌ	اُذُنٌ

49	48	47	46
وَلَدٌ	غُرَفٌ	قَتَرٌ	اُمَمٌ
53	**52**	**51**	**50**
نَفَرٌ	قِطَعٌ	عَرَضٌ	كُتُبٌ
57	**56**	**55**	**54**
عَمَلٌ	ظُلَلٌ	ثَمَرٌ	جُدُدٌ
61	**60**	**59**	**58**
فَعَجَبٌ	فَنَظِرَةٌ	لَقَسَمٌ	غَبَرَةٌ

START DATE	05/12/15	PASS STAMP	TIME (MIN)	MON	TUE	WED	THU	FRI	SAT	SUN	PARENT INITIALS
PASS DATE	19/12/15		WEEK 1								
			WEEK 2								

STRETCH · LETTER · JOIN · HARA… · FLUENCY · PRONUNCIAT…

Mixed excercise

4	3	2	1
قِطَعًا	مَلَكٌ	فُعِلَ	نَفَرًا
8	**7**	**6**	**5**
لَعِبٌ	قُضِيَ	حَرَسًا	دَخَلَا
12	**11**	**10**	**9**
رَشَدًا	حَرَجٌ	عَمَلٍ	عَدَدًا

16	15	14	13
أُفِكَ	صَعَدًا	رَجُلٌ	مَلِكًا
20	**19**	**18**	**17**
رَصَدًا	فِئَةٌ	حَسَنًا	سَالَ
24	**23**	**22**	**21**
فَبَدَاَ	لُمَزَةٍ	قَتَرَةٌ	بِخَبَرٍ

28	27	26	25
لِاَهَبَ	فَجُمِعَ	نَخِرَةً	لَحَبِطَ
32	**31**	**30**	**29**
لِنُرِيَكَ	عَلَقَةً	بِسَحَرٍ	رُسُلِكَ
36	**35**	**34**	**33**
دَرَجَةٌ	بِبَدَنِكَ	بِصَدَقَةٍ	اَفَاَمِنَ

'AKE KEY	HOMEWORK KEY	TIME (MIN)	MON	TUE	WED	THU	FRI	SAT	SUN	PARENT INITIALS	PASS STAMP		
ER AKAH	✓ DUE	WEEK 1										19/12/15	START DATE
TCH UNCIATION NCY	✓ PASS	WEEK 2										23/01/16	PASS DATE

The Prophet ﷺ said that
the expert reciter of the Qurʾān will have the same rank as the noble and honourable scribe-angels, and the one who reads it but struggles and finds it hard will get double reward.

(Bukhārī: 4937)

6
LEVEL

6 STRETCHED ḤARAKAHS

- ‣ Rule: The six stretched ḥarakahs
- ‣ Fatḥah follwed by joining Alif
- ‣ Kasrah followed by joining Yā
- ‣ Ḍammah followed by a joining Wāw
- ‣ Mixed exercise
- ‣ Standing fatḥah
- ‣ Standing kasrah
- ‣ Inverted ḍammah
- ‣ Mixed exercise
- ‣ Līn : Fatḥah followed by joining Wāw
- ‣ Līn : Fatḥah followed by joining Yā
- ‣ Mixed exercise

STUDENT CHECKLIST:

So far, I can:

- ☑ pronounce each letter correctly.
- ☑ recognise a letter as soon as I see it.
- ☑ read a whole word quickly.
- ☑ read *ḥarakahs* correctly.

By the end of this level, I should be able to:

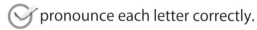

- ◎ recognise the 6 places to stretch ḥarakahs.
- ◎ stretch *ḥarakahs* where they should be stretched, and not stretch them where they shouldn't be.

RULE: The six stretched ḥarakahs

There are 6 places in which you will stretch a *ḥarakah*:

1 When a *fatḥah* is followed by a joining *Alif*; for example, بَا

2 When a *kasrah* is followed by a joining *Yā*; for example, بِي

3 When a *ḍammah* is followed by a joining *Wāw*; for example, بُو

4 When a letter has a standing *fatḥah* on it; for example, بٰ

5 When a letter has a standing *kasrah* on it; for example, بٍ

6 When a letter has an inverted *ḍammah* on it; for example, بٗ

Fatḥah followed by a joining Alif

10	9	8	7	6	5	4	3	2	1
رَا	ذَا	دَا	خَا	حَا	جَا	ثَا	تَا	بَا	اَا
20 فَا	19 غَا	18 عَا	17 ظَا	16 طَا	15 ضَا	14 صَا	13 شَا	12 سَا	11 زَا
★	29 يَا	28 ءَا	27 وَا	26 هَا	25 نَا	24 مَا	23 لَا	22 كَا	21 قَا

33	32	31	30
عَادُ	رَانَ	كَمَا	ذَاتَ
37 قَامَ	36 دَعَا	35 كَانَ	34 خَلَا
41 فَارَ	40 بَابَا	39 بَدَا	38 تَابَ
45 وَاحِدٌ	44 نَاصِرٍ	43 سَنَا	42 نَارَا

49	48	47	46
كَاتِبُ	فَقَالَ	بَاسِطُ	يَخَافُ
53 عَذَابَا	52 خَالِدَا	51 رُبَمَا	50 ضِرَارَا
57 مَوَاخِرَ	56 شِقَاقِ	55 بَصَلِهَا	54 ثَوَابَا
61 نُسَارِعُ	60 مَنَافِعُ	59 صَابِرَةٌ	58 حِجَابَا

START DATE	23/01/16	PASS STAMP	TIME (MIN)	MON	TUE	WED	THU	FRI	SAT	SUN	PARENT INITIALS
PASS DATE	06/02/16		WEEK 1								
			WEEK 2								

MISTAKE KEY
LETTER
HARAKAH
JOIN
STRETCH
PRONUNCIATION
FLUENCY

HOMEWO KEY
DU
PA

Kasrah followed by a joining Yā

1 اِی	2 بِی	3 تِی	4 ثِی	5 جِی	6 حِی	7 خِی	8 دِی	9 ذِی	10 رِی
11 زِی	12 سِی	13 شِی	14 صِی	15 ضِی	16 طِی	17 ظِی	18 عِی	19 غِی	20 فِی
21 قِی	22 کِی	23 لِی	24 مِی	25 نِی	26 هِی	27 وِی	28 ءِی	29 یِی	★

30 حِیْنٍ	31 غِیْضَ	32 فِیْهِ	33 عِیْنٌ
34 سِیْقَ	35 حَفِیْظٌ	36 لَفِیْ	37 فِیْهَا
38 مُبِیْنٌ	39 مَعِیْنٍ	40 سَعِیْدٌ	41 سَبِیْلَ
42 بَنِیْنَ	43 اٰمِیْنٌ	44 عِزِیْنَ	45 اَرِنِیْ

46 عَظِیْمٌ	47 قَلِیْلٍ	48 اُجِیْبُ	49 شَهِیْدٌ
50 بَنِیْهِ	51 عَذَابِیْ	52 عَالِیْنَ	53 عِبَادِیْ
54 مُصِیْبَةٌ	55 فَرِحِیْنَ	56 لِیَغِیْظَ	57 اَسَاطِیْرُ
58 مِیْقَاتًا	59 مَحَارِیْبَ	60 تَمَاثِیْلَ	61 سِنِیْنَ

HOMEWORK KEY	TIME (MIN)	MON	TUE	WED	THU	FRI	SAT	SUN	PARENT INITIALS	PASS STAMP	06/02/16	START DATE
✓ DUE	WEEK 1										27/02/16	PASS DATE
✓ PASS	WEEK 2											

Ḍammah followed by a joining Wāw

10	9	8	7	6	5	4	3	2	1
رُو	ذُو	دُو	خُو	حُو	جُو	ثُو	تُو	بُو	اُو

20	19	18	17	16	15	14	13	12	11
فُو	غُو	عُو	ظُو	طُو	ضُو	صُو	شُو	سُو	زُو

29	28	27	26	25	24	23	22	21
★	يُو	ءُو	وُو	هُو	نُو	مُو	لُو	كُو	قُو

33	32	31	30
يُوقَ	رُوحُ	لُوطٍ	نُورُ
37	36	35	34
زُورًا	نُوحًا	هُودُ	طُورِ
41	40	39	38
تَكُونَ	حُورُ	دُونِ	لَذُو
45	44	43	42
طَالُوتَ	زُرُوعٍ	يَقُومُ	يُوسُفَ

49	48	47	46
رُقُودُ	بُورِكَ	قُلُوبِ	وُجُوهُ
53	52	51	50
نَمُوتُ	اُوتِىَ	فُومِهَا	نُودِىَ
57	56	55	54
فَافُوزَ	فِرِحُونَ	نُشُورًا	رُوحِنَا
61	60	59	58
يَجِدُونَ	يَقُولُونَ	مَثُوبَةً	فَخُذُوهُ

START DATE 27/02/16   PASS STAMP

PASS DATE 19/03/16

TIME (MIN)	MON	TUE	WED	THU	FRI	SAT	SUN	PARENT INITIALS
WEEK 1 ▶								
WEEK 2 ▶								

MISTAKE KEY
STRETCH ···· JOIN
LETTER ···· HARAK
FLUENCY
PRONUNCIATIO

Mixed exercise

4 جَاعِلٌ	3 رَءُوْفٌ	2 قِيْلًا	1 اَصَابَ
8 نَخِيْلٍ	7 عِظَامًا	6 شُهُوْدًا	5 طِبَاقًا
12 فِرَارًا	11 كَثِيْرًا	10 فَاعِلٌ	9 يُرِيْدُ
16 ثَمُوْدُ	15 ثُبَاتٍ	14 طَعَامًا	13 بُيُوْتًا
20 فَخُوْرًا	19 خَبِيْرًا	18 عُيُوْنٍ	17 عَلِيْمًا
24 حَسِيْرٌ	23 جُنَاحَ	22 اَصِيْلًا	21 تُرَابًا
28 بُطُوْنِهَا	27 فَوَاكِهُ	26 عِبَادًا	25 هَضِيْمٌ
32 سِنِيْنَ	31 تُوْعَدُوْنَ	30 رَوَاسِيَ	29 اَحَادِيْثَ
36 تُفِيْضُوْنَ	35 اَطِيْعُوْنِ	34 نُوْحِيْهَا	33 بِكَلَامِيْ

HOMEWORK KEY	TIME (MIN)	MON	TUE	WED	THU	FRI	SAT	SUN	PARENT INITIALS	PASS STAMP		
✓ DUE	WEEK 1										11/03/16	START DATE
✓ PASS	WEEK 2										14/05/16	PASS DATE

Standing fatḥah

10	9	8	7	6	5	4	3	2	1
رَ	ذَ	دَ	خَ	حَ	جَ	ثَ	تَ	بَ	اَ

20	19	18	17	16	15	14	13	12	11
فَ	غَ	عَ	ظَ	طَ	ضَ	صَ	شَ	سَ	زَ

29	28	27	26	25	24	23	22	21
ىَ	ءَ	وَ	هَ	نَ	مَ	لَ	كَ	قَ

★

33	32	31	30
اَمَنَ	اِلهَ	قُتَلَ	نَا
37	**36**	**35**	**34**
بِايِتِ	مَلِكِ	هَذَا	ذَلِكَ
41	**40**	**39**	**38**
سَلَمُ	سَمَوَاتٍ	عَلِمْتِ	مُبَرَكُ

45	44	43	42
كَلَمُ	اِنِيَتِ	تَظْهَرُوْنَ	سِرَجًا
49	**48**	**47**	**46**
ظَلِمُوْنَ	يُخْدِعُوْنَ	فَلِذَلِكَ	بَنَتِ
53	**52**	**51**	**50**
يَبَنِىْ	ظُلِمْتِ	بِايِتِنَا	خَلَتِكَ

START DATE: 14/05/16
PASS DATE: 28/05/16

PASS STAMP ★

TIME (MIN)	MON	TUE	WED	THU	FRI	SAT	SUN	PARENT INITIALS
WEEK 1 ▸								
WEEK 2 ▸								

MISTAKE KEY
STRETCH ···· JOIN
LETTER ···· ḤARAK
FLUENCY
PRONUNCIATIC

يَسْعَى

Standing kasrah [1]

10 رٖ	9 ذٖ	8 دٖ	7 خٖ	6 حٖ	5 جٖ	4 ثٖ	3 تٖ	2 بٖ	1 اٖ
20 فٖ	19 غٖ	18 عٖ	17 ظٖ	16 طٖ	15 ضٖ	14 صٖ	13 شٖ	12 سٖ	11 زٖ
★	29 یٖ	28 ءٖ	27 وٖ	26 هٖ	25 نٖ	24 مٖ	23 لٖ	22 كٖ	21 قٖ

33 عَقِبِهٖ	32 عُمُرِهٖ	31 اَجَلِهٖ	30 هٰذِهٖ
37 نُوْرِهٖ	36 رُسُلِهٖ	35 عِبَادِهٖ	34 عُنُقِهٖ
41 رَسُوْلِهٖ	40 عَمَلِهٖ	39 بِيَدِهٖ	38 قِبَلِهٖ

45 اٰيٰتِهٖ	44 دُوْنِهٖ	43 دِيْنِهٖ	42 كُتُبِهٖ
49 سَبِيْلِهٖ	48 مِيْثَاقِهٖ	47 بِيَمِيْنِهٖ	46 طَعَامِهٖ
53 مَوَاضِعِهٖ	52 وَجُنُوْدِهٖ	51 وَصَاحِبَتِهٖ	50 شَاكِلَتِهٖ

[1] The *standing kasrah* is mostly used in the *Qur'ān* at the end of words underneath a *Hā*. There are a few places in which it is used within a word, but those examples are not given here as they all contain elements like *shaddah* which have not been covered yet. However, all such examples will appear scattered in the book later on.

HOMEWORK KEY	TIME (MIN)	MON	TUE	WED	THU	FRI	SAT	SUN	PARENT INITIALS	PASS STAMP		
DUE	WEEK 1										28/05/1	START DATE
PASS	WEEK 2										18/06/16	PASS DATE

Inverted ḍammah [2]

10	9	8	7	6	5	4	3	2	1
رٗ	ذٗ	دٗ	خٗ	حٗ	جٗ	ثٗ	تٗ	بٗ	اٗ
20	**19**	**18**	**17**	**16**	**15**	**14**	**13**	**12**	**11**
فٗ	غٗ	عٗ	ظٗ	طٗ	ضٗ	صٗ	شٗ	سٗ	زٗ
	29	**28**	**27**	**26**	**25**	**24**	**23**	**22**	**21**
★	يٗ	ءٗ	وٗ	هٗ	نٗ	مٗ	لٗ	كٗ	قٗ

33	32	31	30
وٗرِىَ	مَعَهٗ	فَلَهٗ	يَرَهٗ
37	**36**	**35**	**34**
جَعَلَهٗ	دَاوٗدُ	رُسُلَهٗ	مَالُهٗ
41	**40**	**39**	**38**
مَالَهٗ	قَرِينُهٗ	خُمُسَهٗ	وَرِثَهٗ

45	44	43	42
سَمِعَهٗ	وَمِزَاجُهٗ	أَمَاتَهٗ	خِتَمُهٗ
49	**48**	**47**	**46**
خَلَقَهٗ	كِتَبَهٗ	قَدَرُهٗ	وَثَاقَهٗ
53	**52**	**51**	**50**
ظَاهِرُهٗ	مَوَازِينُهٗ	بَرَكَتُهٗ	فَيُضَعِفَهٗ

See Appendix I

[2] Like the *standing kasrah*, the *inverted ḍammah* is mostly used at the end of words on top of a *Hā*, apart from a few places where it is used within a word. Most of those examples are not given here as they contain elements like *shaddah* which have not been covered yet. Two have been mentioned here and the rest will appear scattered in the book later on.

START DATE	18/06/16	PASS STAMP	TIME (MIN)	MON	TUE	WED	THU	FRI	SAT	SUN	PARENT INITIALS
PASS DATE	16/7/16		WEEK 1								
			WEEK 2								

MISTAKE KEY
STRETCH
LETTER
JOIN
HARAK
يَسْعَىٰ
FLUENCY
PRONUNCIATI

Mixed exercise

4	3	2	1
سُبُلًا	وُعِدَ	اَحَدٌ	طٰهٰ
8	**7**	**6**	**5**
كِتٰبًا	اُوْفِ	سَلٰمٌ	يُوْحَ
12	**11**	**10**	**9**
رِيْعٍ	تُرٰبًا	دَافِقٍ	يَدَاهُ

16	15	14	13
فِيْمَا	غَضَبٌ	هٰرُوْنَ	حَطَبًا
20	**19**	**18**	**17**
حَافِظٌ	مَالَهٗ	ثَمَرَةٍ	يَخٰفُ
24	**23**	**22**	**21**
كُتُبِهٖ	وَالِدٍ	مَاٰبًا	شُهُبًا

28	27	26	25
بَرَرَةٍ	حِسَابًا	لَقَادِرٌ	رَقَبَةٍ
32	**31**	**30**	**29**
تَشٰبَهَ	اَعُوْذُ	يَذَرَكَ	يُقَالُ
36	**35**	**34**	**33**
نَبَاتًا	حَاسِدٍ	عُمُرِكَ	جُنُوْدِهٖ

HOMEWORK KEY	TIME (MIN)	MON	TUE	WED	THU	FRI	SAT	SUN	PARENT INITIALS	PASS STAMP		
✓ DUE	WEEK 1										01/10/16	START DATE
✓ PASS	WEEK 2										01/10/16	PASS DATE

4	3	2	1
جَمِيعًا	ثُبُورًا	كَلِمٰتٍ	بَقَرَةً
8 يُقِيمَا	7 سَمِيعٌ	6 يُؤَاخِذُ	5 حُدُودَ
12 بِاٰيٰتِهٖ	11 تُقٰتِهٖ	10 اٰوَ اٰمَنَ	9 لِسَانًا

16 صٰلِحِينَ	15 يَخَافُ	14 بِجَانِبِهٖ	13 يٰدَاوُدُ
20 قَرِينًا	19 بِشِمَالِهٖ	18 لِيُضِيعَ	17 صٰدِقِينَ
24 بِرِسٰلٰتِيْ	23 اَكِيدُ	22 يُطِيقُونَهٗ	21 صِرَاطًا

28 مُوقِنِينَ	27 صَاحِبَتِهٖ	26 مَتَاعٌ	25 بِكَلِمٰتِهٖ
32 خٰلِدُونَ	31 بِوَلَدِهٖ	30 لَحٰفِظِينَ	29 تِلَاوَتِهٖ
36 لَكٰذِبُونَ	35 لَكَبِيرَةً	34 رٰجِعُونَ	33 سَاهُونَ

START DATE	PASS STAMP	TIME (MIN)	MON	TUE	WED	THU	FRI	SAT	SUN	PARENT INITIALS
01/10/16		WEEK 1								
PASS DATE		WEEK 2								

MISTAKE KEY
STRETCH · LETTER · JOIN · HARAK · FLUENCY · PRONUNCIATI
يَسْعٰى

Līn : Fatḥah followed by joining Wāw

These look like stretched vowels but are not stretched for two *ḥarakahs*.

1 اَوْ	2 بَوْ	3 تَوْ	4 ثَوْ	5 جَوْ	6 حَوْ	7 خَوْ	8 دَوْ	9 ذَوْ	10 رَوْ
11 زَوْ	12 سَوْ	13 شَوْ	14 صَوْ	15 ضَوْ	16 طَوْ	17 ظَوْ	18 عَوْ	19 غَوْ	20 فَوْ
21 قَوْ	22 كَوْ	23 لَوْ	24 مَوْ	25 نَوْ	26 هَوْ	27 وَوْ	28 ءَوْ	29 يَوْ	★

30 فَوْتَ	31 رَوْحٍ	32 نَوْمٌ	33 لَوْحٍ
34 قَوْلٌ	35 صَوْمًا	36 يَوْمَ	37 غَوْلٌ
38 غَوْرًا	39 سَوْطَ	40 هَوْنًا	41 خَوْفٍ

42 سَوْفَ	43 زَوْجًا	44 اَوْهَنَ	45 حَوْلَهُ
46 تَوْبَةً	47 لَوْمَةَ	48 يَقَوْمِ	49 عَفَوْنَا
50 مَوْتِهَا	51 يَرَوْنَهَا	52 اَوْتَادًا	53 يَوْمَئِذٍ

HOMEWORK KEY	TIME (MIN)	MON	TUE	WED	THU	FRI	SAT	SUN	PARENT INITIALS	PASS STAMP		START DATE
DUE	WEEK 1											PASS DATE
PASS	WEEK 2											

Līn : Fatḥah followed by joining Yā

These look like stretched vowels but are not stretched for two *ḥarakahs*.

10	9	8	7	6	5	4	3	2	1
رَیْ	ذَیْ	دَیْ	خَیْ	حَیْ	جَیْ	ثَیْ	تَیْ	بَیْ	اَیْ
20 فَیْ	19 غَیْ	18 عَیْ	17 ظَیْ	16 طَیْ	15 ضَیْ	14 صَیْ	13 شَیْ	12 سَیْ	11 زَیْ
★	29 یَیْ	28 ءَیْ	27 وَیْ	26 هَیْ	25 نَیْ	24 مَیْ	23 لَیْ	22 کَیْ	21 قَیْ

33	32	31	30
خَيْرٌ	شَيْءٍ	حَيْثُ	بَيْتٍ
37 عَيْنٌ	36 غَيْرَ	35 وَيْلٌ	34 كَيْدًا
41 طَيْرًا	40 لَيْسَ	39 ضَيْقٍ	38 رَيْبٍ

45	44	43	42
بِدَيْنٍ	يٰلَيْتَ	مَيْتًا	ضَيْفِ
49 هَيْهَاتَ	48 اٰتَيْنَا	47 بَنَيْنَا	46 قُرَيْشٍ
53 زَيْتُونَةٍ	52 بَيْنَهُمَا	51 عَيْنَيْنِ	50 هَدَيْنَا

START DATE	PASS STAMP	TIME (MIN)	MON	TUE	WED	THU	FRI	SAT	SUN	PARENT INITIALS
PASS DATE		WEEK 1								
		WEEK 2								

Mixed exercise

1 كَيْفَ	2 دِيْنِ	3 فَوْزًا	4 ضَيْرَ
5 طُوْرِ	6 شَرَوْهُ	7 قَوْمِي	8 كَوْكَبٌ
9 رَيْبَ	10 خَيْرٌ	11 غَيْرِي	12 بَيْنِ

13 مَوْرًا	14 اِلَيْنَا	15 لَصَوْتُ	16 سَيْرًا
17 يُقِيْمُوْنَ	18 اِلَيْكَ	19 اَوْحَيْتُ	20 يُوْعُوْنَ
21 اٰتَيْتُكَ	22 نَخَافَا	23 سُلَيْمٰنَ	24 ذِرَاعَيْهِ

25 غَوَيْنَا	26 عَقِبَيْهِ	27 حَامِيَةٌ	28 زَوْجَيْنِ
29 فَعَقَرُوْهَا	30 فَاَوْجَسَ	31 رُوَيْدًا	32 يٰلَيْتَنِيْ
33 عَصَوْنِيْ	34 فَتَعَالَيْنَ	35 مَوْعِظَةٌ	36 شَفَتَيْنِ

Hadith:

One night, Usayd ibn Ḥuḍayr ﷺ was reciting the Qur'ān in his barn when he saw a canopy of lights above his head which resembled lanterns. They made his horse become quite unsettled and fear caused him to stop reciting. The following day he told the Prophet ﷺ about this. The Prophet ﷺ said that they were angels who came to listen to him recite and, had he continued, the people (of Madīnah) would have seen the angels too.

(Muslim: 796)

7 LEVEL

7 JOINING LETTERS

- ▸ Sukūn
- ▸ Joining exercise
- ▸ Hamzah with sukūn
- ▸ Shaddah

STUDENT CHECKLIST:

So far, I can:

- ☑ pronounce each letter correctly.
- ☑ recognise a letter as soon as I see it.
- ☑ read a whole word quickly.
- ☑ read *ḥarakahs* correctly.
- ☑ recognise the 6 places to stretch *ḥarakahs*.
- ☑ stretch *ḥarakahs* where they should be stretched, and not stretch them where they shouldn't be.

By the end of this level, I should be able to:

- ◎ join letters when there is a joining symbol.

Sukūn

6 اُتْ	5 اِتْ	4 اَتْ	3 اُبْ	2 اِبْ	1 اَبْ
12 اُجْ	11 اِجْ	10 اَجْ	9 اُثْ	8 اِثْ	7 اَثْ
18 اُخْ	17 اِخْ	16 اَخْ	15 اُحْ	14 اِحْ	13 اَحْ
24 اُذْ	23 اِذْ	22 اَذْ	21 اُدْ	20 اِدْ	19 اَدْ
30 اُزْ	29 اِزْ	28 اَزْ	27 اُرْ	26 اِرْ	25 اَرْ
36 اُشْ	35 اِشْ	34 اَشْ	33 اُسْ	32 اِسْ	31 اَسْ
42 اُضْ	41 اِضْ	40 اَضْ	39 اُصْ	38 اِصْ	37 اَصْ
48 اُظْ	47 اِظْ	46 اَظْ	45 اُطْ	44 اِطْ	43 اَطْ
54 اُغْ	53 اِغْ	52 اَغْ	51 اُعْ	50 اِعْ	49 اَعْ
60 اُقْ	59 اِقْ	58 اَقْ	57 اُفْ	56 اِفْ	55 اَفْ
66 اُلْ	65 اِلْ	64 اَلْ	63 اُكْ	62 اِكْ	61 اَكْ
72 اُنْ	71 اِنْ	70 اَنْ	69 اُمْ	68 اِمْ	67 اَمْ
★	★	★	75 اُهْ	74 اِهْ	73 اَهْ

See Appendices A and I

HOMEWORK KEY

- DUE
- PASS

TIME (MIN)	MON	TUE	WED	THU	FRI	SAT	SUN	PARENT INITIALS	PASS STAMP		
WEEK 1											START DATE
WEEK 2											PASS DATE

Joining exercise

6	5	4	3	2	1
تُبْ	قَدْ	قُمْ	سَلْ	اَمْ	اِذْ
12	11	10	9	8	7
هَلْ	عَنْ	اِنْ	ذُقْ	دَعْ	خُذْ

17	16	15	14	13
لِمَنْ	غُلْبًا	مُلْكُ	مِنْهُ	لَهُمْ
22	21	20	19	18
يَقْضِ	نَشْطًا	فَلَنْ	قَضْبًا	بَعْدِ
27	26	25	24	23
فَصْلُ	كَدْحًا	نَخْلًا	بَطْشَ	خَلْقًا
32	31	30	29	28
لَغْوًا	سَعْيًا	اُحْيِ	بَرْدًا	سَبْعًا

36	35	34	33
اِذْهَبْ	اِطْعَمُ	اَدْبَرَ	عَسْعَسَ
41	40	39	38
يَشْرَبُ	تَتْرَا	كُشِطَتْ	زَجْرَةٌ
45	44	43	42
يَجِدْكَ	يَكْبُرُ	يَخْرُجُ	اَهْلِهٖ

START DATE	PASS STAMP	TIME (MIN)	MON	TUE	WED	THU	FRI	SAT	SUN	PARENT INITIALS
PASS DATE		WEEK 1								
		WEEK 2								

MISTAKE KEY

JOIN · HARAKAH · STRETCH LETTER · FLUENCY · PRONUNCIATION

يَسْعٰى

1	2	3	4
اَظْلَمَ	نُشِرَتْ	نَضْرَةً	ظَهْرِهٖ
5 اَصْحٰبُ	6 نَجْعَلُ	7 تَقْهَرْ	8 وِزْرَكَ
9 نَغْفِرْ	10 بِاِذْنِ	11 مِثْلُهَا	12 يُهَاجِرْ

13	14	15	16
اَثْقَالَهَا	اِبْرٰهِمُ	اُحْصِرْتُمْ	شَاوِرْهُمْ
17 اَطْعَمَهُمْ	18 يَدْخُلُوْنَ	18 اَعْطَيْنٰكَ	19 يَسْتَحْيٖ
20 اَلْقَارِعَةُ	21 يَسْتَوٗنَ	22 قَدْ اَفْلَحَ	23 فَلَهُمْ اَجْرٌ

24	25	26
يَسْتَوْفُوْنَ	مُسْتَبْشِرَةٌ	اَفَتَطْمَعُوْنَ
27 لَمَرْدُوْدُوْنَ	28 مُذَبْذَبِيْنَ	29 فَتُخْرِجُوْهُ
30 اَعْجَبَتْكُمْ	31 سَيَحْلِفُوْنَ	32 يَسْتَعْجِلُوْنَكَ

See Appendix J

HOMEWORK KEY

- DUE
- PASS

TIME (MIN)	MON	TUE	WED	THU	FRI	SAT	SUN	PARENT INITIALS	PASS STAMP	
WEEK 1										START DATE
WEEK 2										PASS DATE

Hamzah with sukūn

4 بَأْسٍ	3 يَأْنِ	2 يَأْبَ	1 نَأْتِ
8 كَأْسًا	7 بِئْسَ	6 نَشَأْ	5 شَأْنٍ
12 فَأْتِيَا	11 وَأْمُرْ	10 قَرَأْتَ	9 يُؤْمِنُ
16 تَأْتِيْهِمْ	15 مَأْكُوْلٍ	14 يَأْتِكُمْ	13 يُؤْتِيْ
20 يُؤْثِرُوْنَ	19 يَأْمُرُكُمْ	18 تَأْكُلُوْنَ	17 وَلَمُلِئْتَ

START DATE	PASS STAMP	TIME (MIN)	MON	TUE	WED	THU	FRI	SAT	SUN	PARENT INITIALS
PASS DATE		WEEK 1								
		WEEK 2								

MISTAKE KEY

JOIN
HARA
STRETCH
LETTER
يَسْعٰى
FLUENCY
PRONUNCIAT

Shaddah

When a letter has a *shaddah*, it means there were originally two of those letters, one with a *sukūn* and the other with a *ḥarakah:*

اِنْ نَ ◂ اِنَّ   رَبْ بِ ◂ رَبِّ   اَیْ یُ ◂ اَیُّ

1 اَبَّ	2 اِبِّ	3 اُبُّ	4 اَتَّ	5 اِتِّ	6 اُتُّ
7 اَثَّ	8 اِثِّ	9 اُثُّ	10 اَجَّ	11 اِجِّ	12 اُجُّ
13 اَحَّ	14 اِحِّ	15 اُحُّ	16 اَخَّ	17 اِخِّ	18 اُخُّ
19 اَدَّ	20 اِدِّ	21 اُدُّ	22 اَذَّ	23 اِذِّ	24 اُذُّ
25 اَرَّ	26 اِرِّ	27 اُرُّ	28 اَزَّ	29 اِزِّ	30 اُزُّ
31 اَسَّ	32 اِسِّ	33 اُسُّ	34 اَشَّ	35 اِشِّ	36 اُشُّ
37 اَصَّ	38 اِصِّ	39 اُصُّ	40 اَضَّ	41 اِضِّ	42 اُضُّ
43 اَطَّ	44 اِطِّ	45 اُطُّ	46 اَظَّ	47 اِظِّ	48 اُظُّ
49 اَعَّ	50 اِعِّ	51 اُعُّ	52 اَغَّ	53 اِغِّ	54 اُغُّ
55 اَفَّ	56 اِفِّ	57 اُفُّ	58 اَقَّ	59 اِقِّ	60 اُقُّ
61 اَكَّ	62 اِكِّ	63 اُكُّ	64 اَلَّ	65 اِلِّ	66 اُلُّ
67 اَمَّ	68 اِمِّ	69 اُمُّ	70 اَنَّ	71 اِنِّ	72 اُنُّ
73 اَهَّ	74 اِهِّ	75 اُهُّ	76 اَوَّ	77 اِوِّ	78 اُوُّ
79 اَیَّ	80 اِیِّ	81 اُیُّ	★	★	★

See Appendix A

HOMEWORK KEY	TIME (MIN)	MON	TUE	WED	THU	FRI	SAT	SUN	PARENT INITIALS	PASS STAMP	
✓ DUE	WEEK 1										START DATE
✓ PASS	WEEK 2										PASS DATE

5	4	3	2	1
اَيِّ	قَلَّ	مَدَّ	هُنَّ	عَمَّ
10	9	8	7	6
حَجَّ	مِمَّ	تَبَّ	غِلِّ	شَرَّ
15	14	13	12	11
ضَلَّ	ضُرِّ	غَمِّ	حِلُّ	حَقُّ

20	19	18	17	16
صَفًّا	عِزًّا	حَبًّا	ظَنَّ	شَقًّا
25	24	23	22	21
دَكًّا	ظِلِّ	جَمًّا	صُمٌّ	بَسًّا
30	29	28	27	26
دَعًّا	شُحَّ	رَجًّا	ثُمَّ	ضِدًّا

35	34	33	32	31
خَفَّتْ	لِحُبِّ	شَرًّا	بَثَّ	كُلُّ
40	39	38	37	36
طَهِّرْ	سَخَّرَ	يَبُثُّ	بَثِّيْ	يَدُعُّ
45	44	43	42	41
اَنَّا	كَرَّةً	ذَرَّةٍ	فَضَّلَ	يَقُصُّ

START DATE	PASS STAMP	TIME (MIN)	MON	TUE	WED	THU	FRI	SAT	SUN	PARENT INITIALS
PASS DATE		WEEK 1								
		WEEK 2								

STRETCH · LETTER · JOIN · HARAKA · FLUENCY · PRONUNCIATIO

4	3	2	1
ثُوِّبَ	اَشَدُّ	زُيِّنَ	مِنِّيْ
8	7	6	5
جَنّٰتٌ	حُقَّتْ	يَظُنُّ	يَفِرُّ
12	11	10	9
تَفَرَّقَ	وَدَّعَكَ	تُحَدِّثُ	وَكَذَّبَ

16	15	14	13
عَنِتُّمْ	عَدَّدَهٗ	سَحَّارٍ	طَهَّرَكِ
20	19	18	17
اَشِحَّةً	فَحَدِّثْ	تُصَعِّرْ	ثَجَّاجًا
24	23	22	21
يَتَّخِذَ	نَعَّمَهٗ	وَصَّيْنَا	يَخْتَصُّ

28	27	26	25
فَقَدَّرَهٗ	مُكَرَّمَةٍ	سِجِّيْنٌ	تَبْيَضُّ
32	31	30	29
اَخَّرْنَا	فَتَمَثَّلَ	كِذَّابًا	مُطَهَّرَةٍ
36	35	34	33
تَطَّلِعُ	وَلْيَتَّقِ	غَسَّاقًا	عُطِّلَتْ

HOMEWORK KEY	TIME (MIN)	MON	TUE	WED	THU	FRI	SAT	SUN	PARENT INITIALS	PASS STAMP		START DATE
✓ DUE	WEEK 1											PASS DATE
✓ PASS	WEEK 2											

4	3	2	1
4 رَكَّبَكَ	3 كُوِّرَتْ	2 يَسَّرَهٗ	1 اَيَّانَ
8 فَعَّالٌ	7 اَخَّرَتْ	6 تَنَفَّسَ	5 سُعِّرَتْ
12 فَضَّلْنَا	11 حُيِّيتُمْ	10 زَرَابِيُّ	9 سُيِّرَتْ

15 وَلِيُمَحِّصَ	14 يُكَذِّبُوْنَ	13 فَبَشِّرْهُمْ
18 مُمَدَّدَةٍ	17 يُكَذِّبُكَ	16 فَسَنُيَسِّرُهٗ
21 يُدَعُّوْنَ	20 فَيَتَّبِعُوْنَ	19 مُطَهِّرُكَ

24 مُتَوَفِّيْكَ	23 لِلْحَوَارِيّٖنَ	22 اَخَّرْتَنَا
27 فَلَنَقُصَّنَّ	26 يَتَطَهَّرُوْنَ	25 مُسَخَّرٰتٍ
30 مَكَّنَّا	29 دُرِّيٌّ	28 يَتَكَلَّمُوْنَ

START DATE	PASS STAMP	TIME (MIN)	MON	TUE	WED	THU	FRI	SAT	SUN	PARENT INITIALS
PASS DATE		WEEK 1								
		WEEK 2								

MISTAKE KEY
JOIN
STRETCH
HARAK
LETTER
يَسْعىٰ
FLUENCY
PRONUNCIATIC

3 ذُرِّيَّةٌ	2 يَصَّعَّدُ	1 لُجِّيٍّ
6 رَبّٰنِيّٖنَ	5 فَاصَّدَّقَ	4 عِلِّيُّوْنَ
9 اَلْمُدَّثِّرُ	8 يَضَّرَّعُوْنَ	7 اَلْمُزَّمِّلُ

12 عِلِّيِّيْنَ	11 يَصُدُّنَّكَ	10 يَذَّكَّرُوْنَ
15 تَمَسُّوْهُنَّ	14 طَلَّقْتُمُوْهُنَّ	13 وَسَرِّحُوْهُنَّ
18 لَنَصَّدَّقَنَّ	17 لَتُنَبَّؤُنَّ	16 فَعِدَّتُهُنَّ

TAKE KEY	HOMEWORK KEY	TIME (MIN)	MON	TUE	WED	THU	FRI	SAT	SUN	PARENT INITIALS	PASS STAMP		START DATE
TER RAKAH N	DUE	WEEK 1											PASS DATE
ETCH ONUNCIATION ENCY	PASS	WEEK 2											

The Prophet ﷺ said that the Qur'ān will ask Allāh ﷻ on behalf of the person who was devoted to the Qur'ān; so Allāh ﷻ will give him a crown of honour. The Qur'ān will ask Allāh ﷻ to give him more; so Allāh ﷻ will give him garments of honour. It will then ask Allāh ﷻ to be pleased with the person, so Allāh ﷻ will be pleased with the person. Then the person will be told to recite the Qur'ān, and he will be given a reward for every verse he recites.

(Tirmidhī: 2915)

LEVEL 8

8 MADD

- ▸ Rule: Madd lengths
- ▸ The three stretches
- ▸ Medium stretches
- ▸ Long stretches
- ▸ Mixed exercise

STUDENT CHECKLIST:

So far, I can:

- ✓ pronounce each letter correctly.
- ✓ recognise a letter as soon as I see it.
- ✓ read a whole word quickly.
- ✓ read *ḥarakahs* correctly.
- ✓ read all *ḥarakahs* for the right length of time.
- ✓ join letters when there is a joining symbol.

By the end of this level, I should be able to:

- ✓ recognise the *madd* symbols.
- ✓ stretch each *madd* symbol correctly.

RULE: Madd lengths

When you see a *madd* symbol
(⌐ or ⌐), you should stretch it for 6
harakahs.

Measuring by ḥarakahs

One *ḥarakah* is the time it takes to
pronounce any letter with a *fatḥah*,
ḍammah or *kasrah*. This can be measured
by the time it takes to open one closed
finger at average speed, or to close one
open finger at average speed.
To measure a *madd* of six *ḥarakahs*, for
example, you would continue stretching
until you have opened six fingers, one
after the other. Only your teacher can
teach you how to do this properly.

Note:

Advanced students may be asked to
stretch Madd Lāzim longer than the
other *madds* and taught the differences
between the different types of *madd*.

The stretches

6 بٰٓ	5 بَآ	4 بٰٓ	3 بَآ	2 بٰ	1 بَا
12 بٖٓ	11 بِىٓ	10 بٖٓ	9 بِىٓ	8 بٖ	7 بِى
18 بٗٓ	17 بُوٓ	16 بٗٓ	15 بُوٓ	14 بٗ	13 بُو

24 سٰٓ	23 سَآ	22 سٰٓ	21 سَآ	20 سٰ	19 سَا
30 سٖٓ	29 سِىٓ	28 سٖٓ	27 سِىٓ	26 سٖ	25 سِى
36 سٗٓ	35 سُوٓ	34 سٗٓ	33 سُوٓ	32 سٗ	31 سُو

39 إِنِّىٓ أَعْلَمُ	38 إِلَّآ أَن	37 يٰٓأَيُّهَا
42 وَمَآ أَرْسَلْنَا	41 إِنِّىٓ أُرِيدُ	40 مَآ أَعْبُدُ
45 يٰٓأَهْلَ يَثْرِبَ	44 فِيهَآ أَزْوَٰجٌ	43 فِىٓ ءَايَٰتِنَا

START DATE	PASS STAMP	TIME (MIN)	MON	TUE	WED	THU	FRI	SAT	SUN	PARENT INITIALS
PASS DATE		WEEK 1								
		WEEK 2								

MISTAKE KEY

LETTER
HARAKAH
JOIN
STRETCH
PRONUNCIATION
FLUENCY

HOMEWO KEY

✓ DU
✓ PA

3 بَرِيٓئًا	2 غُثَآءٍ	1 سُوٓءٍ
6 قُرُوٓءٍ	5 اَسْمَآءٍ	4 اٰبَآءَكُمْ
9 خَطِيٓئٰتِكُمْ	8 لَتَنُوٓاُ	7 عَطَآؤُنَا

12 دَآبَّةٍ	11 كَآفَّةً	10 حَآجَّ
15 صُوٓاَفَ	14 خَآصَّةً	13 اٰلْـَٔنَ
18 يُحَآجُّوكُمْ	17 بِضَآرِّهِمْ	16 حَآجُّوكَ

TAKE KEY

TER
RAKAH
N
ETCH
ONUNCIATION
ENCY

HOMEWORK KEY

✔ DUE

✔ PASS

TIME (MIN)	MON	TUE	WED	THU	FRI	SAT	SUN	PARENT INITIALS	PASS STAMP
WEEK 1 ▶									
WEEK 2 ▶									

START DATE

PASS DATE

Mixed exercise

2 بَآءَ بِسَخَطٍ	1 خَطِيٓـَٔتِكُمْ
4 تَسَآءَلُونَ بِهِ	3 جَآءَهُ مَوْعِظَةٌ
6 وَلَآ ءَامِّينَ	5 فِىٓ ءَابَآئِهِنَّ
8 وَحَلَٰٓئِلُ أَبْنَآئِكُمْ	7 فَلَمَّآ أَضَآءَتْ
10 ءَابَآؤُكُمْ وَأَبْنَآؤُكُمْ	9 يَٰبَنِىٓ إِسْرَآءِيلَ
12 قَالَ أَتُحَآجُّوٓنِّي	11 بِأَسْمَآءِ هَٰٓؤُلَآءِ

START DATE

PASS DATE

PASS STAMP

TIME (MIN)   MON   TUE   WED   THU   FRI   SAT   SUN   PARENT INITIALS

WEEK 1

WEEK 2

MISTAKE KEY
LETTER
HARAKAH
JOIN
STRETCH
PRONUNCIATION
FLUENCY

HOMEWO KEY
 DU
 PA

The Prophet ﷺ said that
a Muslim who reads the Qur'ān is like a citron (a type of
citrus fruit) which smells nice and is sweet inside.

(Bukhārī: 5020)

LEVEL 9

9 SPECIAL CASES

- ▸ Silent letters
- ▸ Silent Alif in "Ana"
- ▸ Silent Alif with a circle
- ▸ Joining Nūn
- ▸ Sukūn followed by shaddah
- ▸ The openers

STUDENT CHECKLIST:

So far, I can:

- ✓ pronounce each letter correctly.
- ✓ recognise a letter as soon as I see it.
- ✓ read a whole word quickly.
- ✓ read all *ḥarakahs* for the right length of time.
- ✓ join letters when there is a joining symbol.
- ✓ recognise the *madd* symbols and stretch them correctly.

By the end of this level, I should be able to:

- ◎ read words written in a special way.

Silent letters

Any letter that has no *ḥarakah* or joining symbol on it will not be pronounced.

3	2	1
ظَلَمُوْا	يٰبُشْرٰے	ضُحًى
6	**5**	**4**
فَالْمُدَبِّرٰتِ	وَامْرَاَتُهٗ	وَاصْبِرْ
9	**8**	**7**
اُولٰٓئِكَ	اَلرِّبٰوا	اَللّٰهُ

12	11	10
اَصَلٰوتُكَ	مِائَةَ	نَشٰٓؤُا
15	**14**	**13**
زَوْجَيْنِ اثْنَيْنِ	قَوْمِ اتَّخَذُوْا	يَكَادُ الْبَرْقُ
18	**17**	**16**
لَمُحْيِ الْمَوْتٰى	سَمِعُوا الذِّكْرَ	يُؤْتِي الْحِكْمَةَ

Silent Alif in 'Ana'

Normally, if an *Alif* follows a *fatḥah*, it means the *fatḥah* will be stretched. However, the *Alif* in the word *'ana'* will always be silent.

21	20	19
اَنَا اَخُوْكَ	اَنَا نَذِيْرٌ	اَنَا عَابِدٌ

HOMEWORK KEY	TIME (MIN)	MON	TUE	WED	THU	FRI	SAT	SUN	PARENT INITIALS	PASS STAMP	
✓ DUE	WEEK 1	✓	✓	✓	✓	✓	✓	✓			START DATE
✓ PASS	WEEK 2										PASS DATE

Silent Alif with a circle

If an *Alif* has circle on top of it, it means it should be ignored and the *fatḥah* before it will not be stretched.

3	2	1
سَلٰسِلَا۟	لِيَرْبُوَا۟ فِىْ	قَوَارِيْرَا۟
6	5	4
لٰكِنَّا۟	نَدْعُوَا۟	ثَمُوْدَا۟
9	8	7
لِتَتْلُوَا۟	وَمَلَا۟ئِهٖ	اَفَا۟ئِنْ

11	10
وَلَا۟ اَوْضَعُوْا	لَا۟اِلَى الْجَحِيْمِ
13	12
وَنَبْلُوَا۟ اَخْبَارَكُمْ	لِيَبْلُوَا۟ بَعْضَكُمْ

Joining Nūn

This small *Nūn* is sometimes written between two words to join them. If you stop on the first word, you will not read the *Nūn*.

16	15	14
لُمَزَةِ ۨالَّذِىْ	قَدِيْرُ ۨالَّذِىْ	نُوْحُ ۨابْنَهٗ
19	18	17
شَيْـًٔا ۨاتَّخَذَهَا	يَوْمَئِذِ ۨالْحَقُّ	خَيْرًا ۨالْوَصِيَّةُ

START DATE	PASS STAMP	TIME (MIN)	MON	TUE	WED	THU	FRI	SAT	SUN	PARENT INITIALS
PASS DATE		WEEK 1								
		WEEK 2								

MISTAKE KEY: JOIN, HARAK, STRETCH, LETTER, FLUENCY, PRONUNCIATI
يَسْعٰى

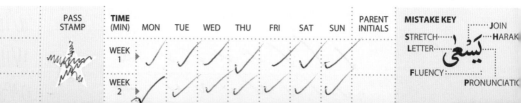

Sukūn followed by shaddah

If a *sukūn* is followed by a *shaddah*, you should ignore the letter with the *sukūn*.[3]

3 بَل رَّفَعَهُ	2 وَعَدتُّهُمْ	1 كِدتَّ
6 وَإِنْ عُدتُّمْ	5 فَقُل رَّبُّكُمْ	4 رَاوَدتُّهُ

The Openers

These letters appear at the beginning of some *sūrahs* and will be pronounced as they are in the alphabet. Each letter will be stretched according to the symbol above it.

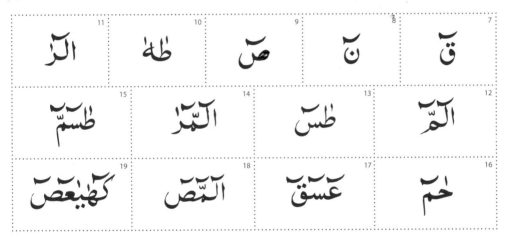

11 الٓر	10 طٰهٰ	9 صٓ	8 نٓ	7 قٓ
15 طٰسٓمٓ	14 الٓمٓر	13 طٰسٓ	12 الٓمٓ	
19 كٓهٰيٰعٓصٓ	18 الٓمٓصٓ	17 عٓسٓقٓ	16 حٰمٓ	

[3] There are some words in which the letter with *sukūn* will not be ignored. These will be covered in another *Tajwīd* book.

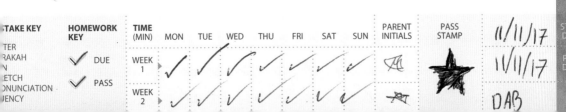

TAKE KEY	HOMEWORK KEY		TIME (MIN)	MON	TUE	WED	THU	FRI	SAT	SUN	PARENT INITIALS	PASS STAMP		
TER													11/11/17	START DATE
RAKAH	✓	DUE	WEEK 1	✓	✓	✓	✓	✓	✓	✓			11/11/17	PASS DATE
N														
ETCH														
ONUNCIATION	✓	PASS	WEEK 2	✓	✓	✓	✓	✓	✓	✓			DAB	
JENCY														

The Prophet صلى الله عليه وسلم said that the best thing to bring you close to Allāh سبحانه وتعالى is that which came from Him, meaning the Qur'ān.

(Tirmidhī: 2911)

10

LEVEL

10 FLUENCY IN THREE WORDS

▸ Two-word exercise

▸ Three-word exercise

STUDENT CHECKLIST:

So far, I can:

- ✓ pronounce each letter correctly.
- ✓ recognise a letter as soon as I see it.
- ✓ read a whole word quickly.
- ✓ read all *ḥarakahs* for the right length of time.
- ✓ join letters when there is a joining symbol.
- ✓ recognise the *madd* symbols and stretch correctly.
- ✓ read words written in a special way.

By the end of this level, I should be able to:

- ◎ read three words together, fluenty.

Two-word exercise

4	3	2	1
عَلَّامُ الْغُيُوْبِ	سُبْحٰنَهٗ وَتَعٰلٰى	هُوَ الْحَقُّ	اَلْحَمْدُ لِلّٰهِ

7	6	5
يُمْسِكُ السَّمٰوٰتِ	وَهُوَ يُطْعِمُ	اَلْمَلِكُ الْقُدُّوْسُ

10	9	8
فَاتَّخِذْهُ وَكِيْلًا	يَهْدِے السَّبِيْلَ	سَخَّرَ الشَّمْسَ

13	12	11
وَاتَّقُوا اللّٰهَ	فَالْمُلْقِيٰتِ ذِكْرًا	يُصَلِّيْ عَلَيْكُمْ

16	15	14
وَاعْمَلُوْا صَالِحًا	اَقِمِ الصَّلٰوةَ	هٰذِهٖ تَذْكِرَةٌ

19	18	17
وَاسْمَعُوْا وَ اَطِيْعُوْا	وَالْقُرْاٰنِ الْحَكِيْمِ	نٓ وَالْقَلَمِ

22	21	20
فَلِلّٰهِ الْعِزَّةُ	وَاْمُرْ بِالْمَعْرُوْفِ	جَمَعْنٰكُمْ وَالْاَوَّلِيْنَ

25	24	23
وَبُشْرٰے لِلْمُسْلِمِيْنَ	وَاِلَيْهِ الْمَصِيْرُ	جَعَلَكُمْ اَزْوَاجًا

28	27	26
فَسَوْفَ تَعْلَمُوْنَ	كَيْفَ تَعْمَلُوْنَ	حَقَّ الْقَوْلُ

HOMEWORK KEY	TIME (MIN)	MON	TUE	WED	THU	FRI	SAT	SUN	PARENT INITIALS	PASS STAMP	6/6/6	START DATE
✓ DUE	WEEK 1	✓	✓	✓	✓	✓	✓✓	✓		★	6/6/6	PASS DATE
✓ PASS	WEEK 2	✓	✓	✓	✓	✓	✓✓	✓			2006	

3	2	1
وَاسْتَغْفِرُوا اللّٰهَ	فَسَتُبْصِرُ وَيُبْصِرُوْنَ	زَيَّنَّا السَّمَآءَ

6	5	4
قَالُوْا سَلٰمًا	اُدْعُوْهُمْ لِاٰبَآئِهِمْ	يٰجِبَالُ اَوِّبِيْ

9	8	7
حِيْنَ تُرِيْحُوْنَ	وَاشْكُرُوْا لَهٗ	وَسَبِّحُوْهُ بُكْرَةً

12	11	10
لَعَلَّكُمْ تَشْكُرُوْنَ	تَرَآءَ الْجَمْعٰنِ	يَفْصِلُ بَيْنَكُمْ

15	14	13
وَاغْفِرْ لِاَبِيْ	لَعَلَّهُمْ يَتَفَكَّرُوْنَ	وَلِرَبِّكَ فَاصْبِرْ

18	17	16
فَارْجِعِ الْبَصَرَ	اَرْسَلْنٰكَ شَاهِدًا	يٰاَيُّهَا الْمُزَّمِّلُ

21	20	19
وَبِالْوَالِدَيْنِ اِحْسَانًا	يٰاَيُّهَا الْمُدَّثِّرُ	وَبَشِّرِ الْمُؤْمِنِيْنَ

24	23	22
وَالرُّجْزَ فَاهْجُرْ	وَثِيَابَكَ فَطَهِّرْ	وَرَبَّكَ فَكَبِّرْ

27	26	25
وَالْمُرْسَلٰتِ عُرْفًا	يَحْكُمُ بَيْنَكُمْ	وَدَعْ اَذٰىهُمْ

30	29	28
سِيْرُوْا فِيْهَا	وَّالنّٰشِرٰتِ نَشْرًا	فَالْعٰصِفٰتِ عَصْفًا

START DATE	PASS STAMP	TIME (MIN)	MON	TUE	WED	THU	FRI	SAT	SUN	PARENT INITIALS
PASS DATE		WEEK 1								
		WEEK 2								

MISTAKE KEY

STRETCH · LETTER · JOIN · HARA · FLUENCY · PRONUNCIAT

يَسْعٰى

Three-word exercise

Due 3/3/18

1 أَتٰٓى أَمْرُ اللّٰهِ

2 وَاغْفِرْ لَنَا رَبَّنَا

3 وَاللّٰهُ غَنِيٌّ حَمِيْدٌ

4 فِيْهَا مَا يَشَآءُوْنَ

5 رَبَّنَا عَلَيْكَ تَوَكَّلْنَا

6 وَعَلٰى رَبِّهِمْ يَتَوَكَّلُوْنَ

7 وَلَهُ الْمَثَلُ الْاَعْلٰى

8 وَذٰلِكَ الْفَوْزُ الْمُبِيْنُ

9 يُنَزِّلُ الْمَلٰٓئِكَةَ بِالرُّوْحِ

10 وَجَعَلَ لَكُمْ سَرَابِيْلَ

11 فَسِيْرُوْا فِى الْاَرْضِ

12 اَلْعَزِيْزُ الْجَبَّارُ الْمُتَكَبِّرُ

13 رَبُّ الْمَشْرِقِ وَالْمَغْرِبِ

14 اَلْخَالِقُ الْبَارِئُ الْمُصَوِّرُ

15 اَلسَّلٰمُ الْمُؤْمِنُ الْمُهَيْمِنُ

16 يَغْفِرْ لَكُمْ ذُنُوْبَكُمْ

17 فَاتَّقُوا اللّٰهَ مَا اسْتَطَعْتُمْ

18 وَاَقِيْمُوا الشَّهَادَةَ لِلّٰهِ

HOMEWORK KEY	TIME (MIN)	MON	TUE	WED	THU	FRI	SAT	SUN	PARENT INITIALS	PASS STAMP	
✓ DUE	WEEK 1										START DATE
✓ PASS	WEEK 2										PASS DATE

2	1
مَرَّ عَلٰى قَرْيَةٍ	لَا رَيْبَ فِيْهِ
4 كَانَ لَكُمْ جَزَآءً	3 ذٰلِكُمْ تُوْعَظُوْنَ بِهٖ
6 قَالَ هٰذِهٖ نَاقَةٌ	5 وَاذْكُرِ اسْمَ رَبِّكَ
8 اَخْرَجْنَا لَهُمْ دَآبَّةً	7 اِذَا دَخَلُوْا قَرْيَةً
10 اَلَّذِيْنَ اٰتَيْنٰهُمُ الْكِتٰبَ	9 وَيُعْظِمْ لَهٗٓ اَجْرًا

12	11
وَهُوَ اَرْحَمُ الرّٰحِمِيْنَ	لَيْسَ لِوَقْعَتِهَا كَاذِبَةٌ
14 اِتَّخَذُوْٓا اَيْمَانَهُمْ جُنَّةً	13 ذٰلِكَ الْفَوْزُ الْعَظِيْمُ
16 يُكَفِّرْ عَنْهُ سَيِّاٰتِهٖ	15 وَنَحْشُرُهُمْ يَوْمَ الْقِيٰمَةِ
18 يَعِظُكُمْ لَعَلَّكُمْ تَذَكَّرُوْنَ	17 وَجَآءُوْٓ اَبَاهُمْ عِشَآءً
20 وَلَقَدْ عَلِمْنَا الْمُسْتَقْدِمِيْنَ	19 وَلِيَذَّكَّرَ اُولُوا الْاَلْبَابِ

START DATE	PASS STAMP	TIME (MIN)	MON	TUE	WED	THU	FRI	SAT	SUN	PARENT INITIALS
PASS DATE		WEEK 1								
		WEEK 2								

STRETCH · LETTER · JOIN · HARAKAH · FLUENCY · PRONUNCIATION

The Prophet ﷺ said that
on the Day of Judgement, it will be said to the person
who used to recite the Qur'ān, "Read and climb, and
recite how you used to do in the world because your
home will be where you recite the last verse."

(Tirmidhī: 2914)

11 LEVEL

11 STOPPING

- ▸ Rule: Stopping
- ▸ Stopping on fatḥatayn
- ▸ Stopping on round Tā and Hā
- ▸ All other stops
- ▸ Mixed exercise

STUDENT CHECKLIST:

So far, I can:

- ✓ pronounce each letter correctly.
- ✓ recognise a letter as soon as I see it.
- ✓ read all *ḥarakahs* for the right length of time.
- ✓ join letters when there is a joining symbol.
- ✓ recognise the *madd* symbols and stretch correctly.
- ✓ read words written in a special way.
- ✓ read three words together, fluenty.

By the end of this level, I should be able to:

- ◎ stop correctly on any word.

RULE: Stopping

1 If the last letter of the word has fatḥahtayn, it will be changed for a fatḥah and read with the joining *Alif*; for example, تَوَّابًا and طُوًى will be read تَوَّابَا and طُوٰى.

2 If the last letter is a round *Tā* (ة), it will be changed for *Hā sākinah* (ه); for example, مُؤْصَدَةٌ and سَفَرَةٍ will be read مُؤْصَدَهْ and سَفَرَهْ .

3 If the last letter is a round *Hā*, you will make it *sākin* even if it has a stretching symbol on it; for example, ظَهْرِهٖ and اَخْلَدَهٗ will be read ظَهْرِهْ and اَخْلَدَهْ.

4 If the last letter is *sākin*, it will remain how it is; for example, يُوْلَدْ ، مُوْسٰى ، يَخْشٰهَا ، لِحَيَاتِيْ .

5 In any other case, the last letter will be made *sākin* and joined with the letter before it; for example, تُرْجَعُ، يَسْرِ، مَسَدٍ، وَالْفَتْحُ، سِيْنِيْنَ will be read تُرْجَعْ، يَسْرْ، مَسَدْ، وَالْفَتْحْ، سِيْنِيْنْ

6 If there is a *shaddah* on the last letter, it will become *sākin* but will be read with emphasis; for example, وَتَبَّ.

Exercises for rules 2 and 3 have been merged as they are both read in a similar way. Exercises for rules 4, 5 and 6 have also been merged as the ends of all of them are read with sukūn.

Stopping on fatḥahtayn

1 هَبْ لِیْ حُكْمًا

2 وَّيَهْدِيْ بِهٖ كَثِيْرًا

3 وَلَهُ الدِّيْنُ وَاصِبًا

4 وَفِيْۤ اٰذَانِهِمْ وَقْرًا

5 وَفِيْ نُسْخَتِهَا هُدًى

6 نَادٰى رَبَّهٗ نِدَآءً

7 بِالْوَادِ الْمُقَدَّسِ طُوًى

8 وَهُوَ عَلَيْهِمْ عَمًى

9 وَكَانَ رَبُّكَ قَدِيْرًا

10 وَكَفٰى بِرَبِّكَ وَكِيْلًا

11 كَانَ وَعْدُهٗ مَفْعُوْلًا

12 وَجَعَلَ بَيْنَهُمَا بَرْزَخًا

13 وَتَبَتَّلْ اِلَيْهِ تَبْتِيْلًا

14 خٰلِدِيْنَ فِيْهَآ اَبَدًا

15 يَوْمَ لَا يُغْنِيْ مَوْلًى

16 يَحْسَبُهُ الظَّمْاٰنُ مَآءً

17 وَرَتِّلِ الْقُرْاٰنَ تَرْتِيْلًا

18 وَكَانَ بِالْمُؤْمِنِيْنَ رَحِيْمًا

START DATE	PASS STAMP	TIME (MIN)	MON	TUE	WED	THU	FRI	SAT	SUN	PARENT INITIALS	
PASS DATE		WEEK 1									
		WEEK 2									

MISTAKE KEY
LETTER
HARAKAH
JOIN
STRETCH
PRONUNCIATION
FLUENCY

HOMEWC KEY
DU
PA

Stopping on round Tā and Hā

2 قُلْ لِّلّٰهِ الشَّفَاعَةُ	1 فِيْ مَسْكَنِهِمْ اٰيَةٌ
4 كَيْفَ تَكْفُرُوْنَ بِاللّٰهِ	3 سَخَّرْنَا الْجِبَالَ مَعَهٗ
6 اَدُلُّكُمْ عَلٰى تِجَارَةٍ	5 اِذَا وَقَعَتِ الْوَاقِعَةُ
8 بَيْنَ يَدَيْ رَحْمَتِهٖ	7 وَضُرِبَتْ عَلَيْهِمُ الذِّلَّةُ

10 حَدَآئِقَ ذَاتَ بَهْجَةٍ	9 فَسَيَكْفِيْكَهُمُ اللّٰهُ
12 فَتِلْكَ بُيُوْتُهُمْ خَاوِيَةً	11 وَالْعَمَلُ الصَّالِحُ يَرْفَعُهٗ
14 حَرَّمَ عَلَيْكُمُ الْمَيْتَةَ	13 رَبِّيْ وَرَبُّكُمْ فَاعْبُدُوْهُ
16 عٰلِمُ الْغَيْبِ وَالشَّهَادَةِ	15 جَآءَتْهُمْ اٰيٰتُنَا مُبْصِرَةً
18 اَمْوَالُكُمْ وَاَوْلَادُكُمْ فِتْنَةٌ	17 فَاٰمِنُوْا بِاللّٰهِ وَرَسُوْلِهٖ

HOMEWORK KEY	TIME (MIN)	MON	TUE	WED	THU	FRI	SAT	SUN	PARENT INITIALS	PASS STAMP		START DATE
✓ DUE	WEEK 1											PASS DATE
✓ PASS	WEEK 2											

All other stops

1 يَخْلُقُ مَا يَشَآءُ	2 رَضِيَ اللّٰهُ عَنْهُمْ
3 لِنُثَبِّتَ بِهٖ فُؤَادَكَ	4 رَبَّنَا اغْفِرْ لَنَا
5 ذٰلِكَ الدِّيْنُ الْقَيِّمُ	6 يٰقَوْمِ لِمَ تُؤْذُوْنَنِيْ
7 وَلِلّٰهِ الْمَثَلُ الْاَعْلٰى	8 مَعِيَ رَبِّيْ سَيَهْدِيْنِ

9 وَاللّٰهُ يَسْمَعُ تَحَاوُرَكُمَا	10 فَلَا تَتَنَاجَوْا بِالْاِثْمِ
11 فَسْـَٔلُوْٓا اَهْلَ الذِّكْرِ	12 وَلَاَجْرُ الْاٰخِرَةِ اَكْبَرُ
13 وَاقْصِدْ فِيْ مَشْيِكَ	14 وَلَنِعْمَ دَارُ الْمُتَّقِيْنَ
15 لَهُ الْاَسْمَآءُ الْحُسْنٰى	16 وَيَخْلُقُ مَا لَا تَعْلَمُوْنَ
17 وَتَنَاجَوْا بِالْبِرِّ وَالتَّقْوٰى	18 فَاعْتَبِرُوْا يٰۤاُولِي الْاَبْصَارِ

START DATE	PASS STAMP	TIME (MIN)	MON	TUE	WED	THU	FRI	SAT	SUN	PARENT INITIALS
PASS DATE		WEEK 1								
		WEEK 2								

JOIN · HARAK · STRETCH · LETTER · يَسْعٰى · FLUENCY · PRONUNCIATIC

Mixed exercise

1. لَهٗ دَعْوَةُ الْحَقِّ
2. تَجْرِىْ بِاَمْرِهٖ رُخَآءً
3. فَنِعْمَ عُقْبَى الدَّارِ
4. لَا تَجْعَلْنَا فِتْنَةً
5. اِذْ نَجَّيْنٰهُ وَاَهْلَهٗ
6. فَلِلّٰهِ الْمَكْرُ جَمِيْعًا
7. فَاللّٰهُ خَيْرٌ حٰفِظًا
8. رَبَّنَا وَتَقَبَّلْ دُعَآءِ
9. وَهُوَ شَدِيْدُ الْمِحَالِ
10. اَللّٰهُ الَّذِىْ خَلَقَكُمْ
11. تَحِيَّتُهُمْ فِيْهَا سَلٰمٌ
12. فَصَلِّ لِرَبِّكَ وَانْحَرْ
13. فَسَبِّحْ بِحَمْدِ رَبِّكَ
14. وَيُسَبِّحُ الرَّعْدُ بِحَمْدِهٖ
15. فَاصْدَعْ بِمَا تُؤْمَرُ
16. رَبُّ الْعَرْشِ الْكَرِيْمِ
17. وَضَرَبْنَا لَكُمُ الْاَمْثَالَ
18. وَالْمَلٰٓئِكَةُ مِنْ خِيْفَتِهٖ

TAKE KEY	HOMEWORK KEY	TIME (MIN)	MON	TUE	WED	THU	FRI	SAT	SUN	PARENT INITIALS	PASS STAMP	
TER RAKAH N	DUE	WEEK 1										START DATE
ETCH ONUNCIATION ENCY	PASS	WEEK 2										PASS DATE

The Prophet ﷺ said,

"Recite the Qur'ān, because it will come on the Day of Judgement and plead to Allāh سبحانه وتعالى on behalf of those who recite it."

(Muslim: 804)

12

LEVEL

12 STOPPING SYMBOLS

- ▸ Rule: Stopping symbols
- ▸ Four-word exercise
- ▸ Four-word exercise with stopping symbols

STUDENT CHECKLIST:

So far, I can:

- ✓ pronounce each letter correctly.
- ✓ recognise a letter as soon as I see it.
- ✓ read all *ḥarakahs* for the right length of time.
- ✓ join letters when there is a joining symbol.
- ✓ recognise the *madd* symbols and stretch correctly.
- ✓ read words written in a special way.
- ✓ read three words together, fluenty.
- ✓ stop correctly on any word.

By the end of this level, I should be able to:

- ◎ stop only where stopping is allowed.

RULE: Stopping symbols

1 The round symbol ⊙ , means the *āyah* is finished and you should stop. It does not matter what other symbol is on top of it you should still stop; for example ⍟.

2 Sometimes there are stopping symbols in the middle of an *ayah*; for example, ج ز. You should stop on these symbols. The only sign you should not stop on is a small "ﻻ" or "ﻻ" (if it appears without a circle benteath it), as this means "Do not stop!"

Examples can be found in the pages ahead. There are many other symbols which are important to learn, but they have been left out here as they are difficult for students to learn at this stage. Students will learn them once on the *Qur'ān*, *in shā* Allāh.

Four-word exercise

1 وَهُوَ الَّذِىْ مَرَجَ الْبَحْرَيْنِ

2 فَاٰتِ ذَا الْقُرْبٰى حَقَّهٗ

3 كَتَبَ عَلٰى نَفْسِهِ الرَّحْمَةَ

4 هُوَ الَّذِىْٓ اَيَّدَكَ بِنَصْرِهٖ

5 وَلَا تَجْعَلْ فِىْ قُلُوْبِنَا غِلًّا

6 يُسَيِّرُكُمْ فِى الْبَرِّ وَالْبَحْرِ

7 وَلَا تَكُوْنُوْا كَالَّذِيْنَ نَسُوا اللّٰهَ

8 وَاصْبِرْ عَلٰى مَا يَقُوْلُوْنَ

9 وَمَآ اٰتٰىكُمُ الرَّسُوْلُ فَخُذُوْهُ

10 يٰٓاَبَانَا اسْتَغْفِرْ لَنَا ذُنُوْبَنَا

11 فَاثْبُتُوْا وَاذْكُرُوا اللّٰهَ كَثِيْرًا

12 لَا نُكَلِّفُ نَفْسًا اِلَّا وُسْعَهَا

13 وَلَا نُضِيْعُ اَجْرَ الْمُحْسِنِيْنَ

14 وَيَهْدِىْٓ اِلَيْهِ مَنْ اَنَابَ

15 ذٰلِكَ بِمَا قَدَّمَتْ اَيْدِيْكُمْ

16 وَيَوْمَ تَشَقَّقُ السَّمَآءُ بِالْغَمَامِ

17 وَفَوْقَ كُلِّ ذِىْ عِلْمٍ عَلِيْمٌ

18 كَذٰلِكَ يَضْرِبُ اللّٰهُ الْاَمْثَالَ

See Appendix L

START DATE		PASS STAMP	TIME (MIN)	MON	TUE	WED	THU	FRI	SAT	SUN	PARENT INITIALS	MISTAKE KEY	HOMEW KEY
PASS DATE			WEEK 1									LETTER HARAKAH JOIN	D
			WEEK 2									STRETCH PRONUNCIATION FLUENCY	P

Four-word exercise with stopping symbols

1. قُمِ الَّيْلَ اِلَّا قَلِيْلًا ۙ

2. اَلَا يَعْلَمُ مَنْ خَلَقَ ؕ

3. اَنِ اشْكُرْ لِيْ وَلِوَالِدَيْكَ ؕ

4. وَاللّٰهُ بِكُلِّ شَيْءٍ عَلِيْمٌ ۝

5. وَكَانَ اَمْرُ اللّٰهِ مَفْعُوْلًا ۝

6. وَاصْبِرْ عَلٰى مَا اَصَابَكَ ؕ

7. اَلرَّحْمٰنُ فَسْئَلْ بِهٖ خَبِيْرًا ۝ ج

8. وَهُوَ الْقَاهِرُ فَوْقَ عِبَادِهٖ ؕ

9. تِلْكَ اٰيٰتُ الْكِتٰبِ الْمُبِيْنِ ۝ قف

10. لَا فُسُوْقَ ۙ وَلَا جِدَالَ فِي الْحَجِّ ؕ

11. وَقَدْ خَلَتْ سُنَّةُ الْاَوَّلِيْنَ ۝

12. وَاِلَيْكَ اَنَبْنَا وَاِلَيْكَ الْمَصِيْرُ ۝

13. فَاَقِمْ وَجْهَكَ لِلدِّيْنِ حَنِيْفًا ؕ

14. وَاَحْصٰى كُلَّ شَيْءٍ عَدَدًا ۝ ع

15. وَصَاحِبْهُمَا فِي الدُّنْيَا مَعْرُوْفًا ز

16. وَبَرَزُوْا لِلّٰهِ الْوَاحِدِ الْقَهَّارِ ۝

17. وَلَا تُطِيْعُوْٓا اَمْرَ الْمُسْرِفِيْنَ ۝ ۙ

18. وَلَا تَايْئَسُوْا مِنْ رَّوْحِ اللّٰهِ ؕ

HOMEWORK KEY

✓ DUE

✓ PASS

TIME (MIN)	MON	TUE	WED	THU	FRI	SAT	SUN	PARENT INITIALS	PASS STAMP
WEEK 1									
WEEK 2									

1 اَیُّ شَیۡءٍ اَکۡبَرُ شَهَادَةً ط

2 تَعۡلَمُ مَا نُخۡفِیۡ وَمَا نُعۡلِنُ ط

3 وَ اَقۡرِضُوا اللّٰهَ قَرۡضًا حَسَنًا ط

4 شَدِیۡدِ الۡعِقَابِ لا ذِی الطَّوۡلِ ط

5 وَ اللّٰهُ بِمَا تَعۡمَلُوۡنَ بَصِیۡرٌ ○

6 اَلۡمُلۡكُ یَوۡمَئِذِ ٍۨ الۡحَقُّ لِلرَّحۡمٰنِ ط

7 فَلَا تَدۡعُوۡا مَعَ اللّٰهِ اَحَدًا ○ لا

8 اَلَّذِیۡ خَلَقَنِیۡ فَهُوَ یَهۡدِیۡنِ ○ لا

9 عَلٰی رَسُوۡلِنَا الۡبَلٰغُ الۡمُبِیۡنُ ○

10 فَاتَّبِعُوۡا مِلَّةَ اِبۡرٰهِیۡمَ حَنِیۡفًا ط

11 وَالَّذِیۡ هُوَ یُطۡعِمُنِیۡ وَیَسۡقِیۡنِ ○ لا

12 فَلَا تَضۡرِبُوۡا لِلّٰهِ الۡاَمۡثَالَ ط

13 لَاۤ اِلٰهَ اِلَّا هُوَ لا اَلۡحَیُّ الۡقَیُّوۡمُ ○ ط

14 اِلٰی رَبِّكَ یَوۡمَئِذِ ٍۨ الۡمَسَاقُ ط

15 اَلَمۡ نَجۡعَلِ الۡاَرۡضَ كِفَاتًا ○ لا

16 خَلَقَ السَّمٰوٰتِ وَالۡاَرۡضَ بِالۡحَقِّ ج

17 وَلِیَّ فِی الدُّنۡیَا وَ الۡاٰخِرَةِ ج

18 اَطِیۡعُوا اللّٰهَ وَ اَطِیۡعُوا الرَّسُوۡلَ ج

START DATE	PASS STAMP	TIME (MIN)	MON	TUE	WED	THU	FRI	SAT	SUN	PARENT INITIALS
PASS DATE		WEEK 1								
		WEEK 2								

MISTAKE KEY

JOIN
STRETCH
HARAKAH
LETTER

The Prophet ﷺ said that

the person who recites the Qur'ān will not face a lot of difficulty in old age.

(Ḥākim: 3952)

13 LEVEL

13 FLUENCY IN ONE LINE OR VERSE

‣ One line or verse exercise

STUDENT CHECKLIST:

So far, I can:

- ✓ pronounce each letter correctly.
- ✓ recognise a letter as soon as I see it.
- ✓ read all *harakahs* for the right length of time.
- ✓ join letters when there is a joining symbol.
- ✓ recognise the *madd* symbols and stretch correctly.
- ✓ read words written in a special way.
- ✓ read four words fluently.
- ✓ stop where it is allowed to stop and not stop where it is not allowed.

By the end of this level, I should be able to:

- ◎ read a whole line or verse fluenty.

One-verse or one-line exercise [4]

1 وَاللّٰهُ يَعْلَمُ مَا تُسِرُّوْنَ وَمَا تُعْلِنُوْنَ ○ ◄ 2 وَالَّذِيْنَ هُمْ

لِاَمٰنٰتِهِمْ وَعَهْدِهِمْ رٰعُوْنَ ○ صلے ◄ 3 لِلَّذِيْنَ اَحْسَنُوْا فِيْ هٰذِهِ

الدُّنْيَا حَسَنَةٌ ط ◄ 4 اِلَّا كَلَمْحِ الْبَصَرِ اَوْ هُوَ اَقْرَبُ ط ◄ 5 تَبٰرَكَ

الَّذِيْ جَعَلَ فِي السَّمَآءِ بُرُوْجًا ◄ 6 اَسْلِمْ لا قَالَ اَسْلَمْتُ لِرَبِّ

الْعٰلَمِيْنَ ○ ◄ 7 قُلْ لِّلْمُؤْمِنِيْنَ يَغُضُّوْا مِنْ اَبْصَارِهِمْ ◄

8 فَاسْتَعِذْ بِاللّٰهِ مِنَ الشَّيْطٰنِ الرَّجِيْمِ ○ ◄ 9 وَالَّذِيْنَ هُمْ

عَلٰى صَلَاتِهِمْ يُحَافِظُوْنَ ○ ◄ 10 قُلْ مَآ اَسْئَلُكُمْ عَلَيْهِ مِنْ

اَجْرٍ ◄ 11 وَسَلٰمٌ عَلٰى عِبَادِهِ الَّذِيْنَ اصْطَفٰى ط ◄ 12 قَدْ

اَحَاطَ بِكُلِّ شَيْءٍ عِلْمًا ○ ع ◄ 13 وَتَوَكَّلْ عَلَى الْحَيِّ الَّذِيْ

[4] Students must stop at the arrows which are used to separate examples. Most examples have a stopping symbol as found in the *Qur'ān* but some do not, so we have included this seperator

HOMEWORK KEY	TIME (MIN)	MON	TUE	WED	THU	FRI	SAT	SUN	PARENT INITIALS	PASS STAMP		START DATE
✓ DUE	WEEK 1 ▸											PASS DATE
✓ PASS	WEEK 2 ▸											

لَا يَمُوْتُ ◄ 1 خَلَقَ السَّمٰوٰتِ وَالْاَرْضَ وَمَا بَيْنَهُمَا ◄ 2 وَكَفٰى بِهٖ

بِذُنُوْبِ عِبَادِهٖ خَبِيْرًا ج ○ ◄ 3 قُلْ هٰذِهٖ سَبِيْلِيْٓ اَدْعُوْٓا اِلَى

اللّٰهِ قف ◄ 4 فَلَا تَدْعُ مَعَ اللّٰهِ اِلٰهًا اٰخَرَ ◄ 5 وَلَا تَمْشِ فِى

الْاَرْضِ مَرَحًا ط ◄ 6 فَمَنْ اَسْلَمَ فَاُولٰٓئِكَ تَحَرَّوْا

رَشَدًا ○ ◄ 7 وَمَا يَعْلَمُ جُنُوْدَ رَبِّكَ اِلَّا هُوَ ط ◄ 8 وَاتَّبِعْ

سَبِيْلَ مَنْ اَنَابَ اِلَيَّ ج ◄ 9 مُحَلِّقِيْنَ رُءُوْسَكُمْ وَمُقَصِّرِيْنَ لا

لَا تَخَافُوْنَ ط ◄ 10 قُلْ كَفٰى بِاللّٰهِ بَيْنِيْ وَبَيْنَكُمْ شَهِيْدًا ج ◄ 11 وَيَوْمَ

تَقُوْمُ السَّاعَةُ يُبْلِسُ الْمُجْرِمُوْنَ ○ ◄ 12 وَمَا يَجْحَدُ بِاٰيٰتِنَآ

اِلَّا الظّٰلِمُوْنَ ○ ◄ 13 لَقَدْ جَآءَتْ رُسُلُ رَبِّنَا بِالْحَقِّ ط ◄

START DATE	PASS STAMP	TIME (MIN)	MON	TUE	WED	THU	FRI	SAT	SUN	PARENT INITIALS
PASS DATE		WEEK 1								
		WEEK 2								

MISTAKE KEY

يَسْعٰى

STRETCH · LETTER · FLUENCY · JOIN · HARAK · PRONUNCIATIC

1 عَرْضُهَا السَّمٰوٰتُ وَالْاَرْضُ ۙ اُعِدَّتْ لِلْمُتَّقِيْنَ ۙ ○ ◄ 2 قَالَ

رَبِّ اشْرَحْ لِيْ صَدْرِيْ ۙ ○ ◄ 3 الَّذِيْ خَلَقَ الْمَوْتَ وَالْحَيٰوةَ

لِيَبْلُوَكُمْ اَيُّكُمْ اَحْسَنُ عَمَلًا ؕ ◄ 4 قُلْ هُوَ الَّذِيْ ذَرَاَكُمْ

فِي الْاَرْضِ وَاِلَيْهِ تُحْشَرُوْنَ ○ ◄ 5 فَاَقِيْمُوا الصَّلٰوةَ

وَاٰتُوا الزَّكٰوةَ وَاَطِيْعُوا اللّٰهَ وَرَسُوْلَهٗ ؕ ◄ 6 وَالَّذِيْنَ اٰمَنُوْا

بِاللّٰهِ وَرُسُلِهٖۤ اُولٰٓئِكَ هُمُ الصِّدِّيْقُوْنَ ۖق ◄ 7 قُلْ اِنَّ

صَلَاتِيْ وَنُسُكِيْ وَمَحْيَايَ وَمَمَاتِيْ لِلّٰهِ رَبِّ الْعٰلَمِيْنَ ○

TAKE KEY	HOMEWORK KEY	TIME (MIN)	MON	TUE	WED	THU	FRI	SAT	SUN	PARENT INITIALS	PASS STAMP		START DATE
TER AKAH N ETCH NUNCIATION ENCY	✓ DUE ✓ PASS	WEEK 1 ▸											PASS DATE
		WEEK 2 ▸											

The Prophet صلى الله عليه وسلم said that

Allāh has a group of chosen people from amongst all people. The Ṣaḥabah رضي الله عنهم asked him who they were. He said, "The people of the Qur'ān are the people of Allāh and His chosen people."

(Aḥmad: 12292)

APPENDICES

APPENDICES

A: Pronunciations practice (Pages 19, 92, 96)
For students who complete the alphabet before the rest of the class.

B: Assorted heavy and light letters (Page 25)
To help students differentiate between heavy and light letters. This is useful for advanced students.

C: Dots exercise (Page 38)
For students who confuse similar shaped letters a lot.

D: Whole-word exercise (Page 40)
For students who require extra practice after the completion of Level 3.

E: Advanced letter recognition (Page 46)
For use as a mixed exercise in the middle of Level 4, after the completion of page 46, example 5. It contains examples of all shapes covered until then.

F: Advanced letter recognition (Page 48)
For use in Level 4 after the completion of page 48, example 5.

G: Assorted letters with ḥarakahs (Page 64)
For use in conjunction with Level 5. This will help students who confuse the *ḥarakahs* a lot.

H: Light and heavy letters with ḥarakahs (Page 65)
For advanced students who wish to learn about heavy and light letters or for those struggling with the sounds of the letters in question.

I: Light and heavy letters with stretched ḥarakahs (Page 83)
Similar to the appendix H.

J: Similar letters with sukūn (Page 92)
To help students make a clear distinction between similar sounding letters.

K: Joining exercise (Page 94)
For further practice at the end of Level 7.

L: Similar words (Page 135)
Helps students pay attention to the similar sounding letters between words. Words from here can also be read to the students to see if they can hear the difference.

A: Pronunciation practice [5]

6	5	4	3	2	1
بُطْ	بِطْ	بَطْ	بُبْ	بِبْ	بَبْ
12	11	10	9	8	7
بُظْ	بِظْ	بَظْ	بُتْ	بِتْ	بَتْ
18	17	16	15	14	13
بُعْ	بِعْ	بَعْ	بُثْ	بِثْ	بَثْ
24	23	22	21	20	19
بُغْ	بِغْ	بَغْ	بُجْ	بِجْ	بَجْ
30	29	28	27	26	25
بُفْ	بِفْ	بَفْ	بُحْ	بِحْ	بَحْ
36	35	34	33	32	31
بُقْ	بِقْ	بَقْ	بُخْ	بِخْ	بَخْ
42	41	40	39	38	37
بُكْ	بِكْ	بَكْ	بُدْ	بِدْ	بَدْ
48	47	46	45	44	43
بُلْ	بِلْ	بَلْ	بُذْ	بِذْ	بَذْ
54	53	52	51	50	49
بُمْ	بِمْ	بَمْ	بُرْ	بِرْ	بَرْ
60	59	58	57	56	55
بُنْ	بِنْ	بَنْ	بُزْ	بِزْ	بَزْ
66	65	64	63	62	61
بُهْ	بِهْ	بَهْ	بُسْ	بِسْ	بَسْ
71		70	69	68	67
بُوْ	★	بَوْ	بُشْ	بِشْ	بَشْ
77	76	75	74	73	72
بُؤْ	بِئْ	بَأْ	بُصْ	بِصْ	بَصْ
	82	81	80	79	78
★	بِئْ	بَئْ	بُضْ	بِضْ	بَضْ

[5] This exercise can be given to students who complete the alphabet before the rest of the class. As they will not have yet learned how to read joined-up letters, you will have to read out this exercise for them.

HOMEWORK KEY		TIME (MIN)	MON	TUE	WED	THU	FRI	SAT	SUN	PARENT INITIALS	PASS STAMP		START DATE
✓	DUE	WEEK 1 ▸											PASS DATE
✓	PASS	WEEK 2 ▸											

6	5	4	3	2	1
بُتّ	بِتّ	بَتّ	بُبّ	بِبّ	بَبّ

12	11	10	9	8	7
بُجّ	بِجّ	بَجّ	بُثّ	بِثّ	بَثّ

18	17	16	15	14	13
بُخّ	بِخّ	بَخّ	بُحّ	بِحّ	بَحّ

24	23	22	21	20	19
بُذّ	بِذّ	بَذّ	بُدّ	بِدّ	بَدّ

30	29	28	27	26	25
بُزّ	بِزّ	بَزّ	بُرّ	بِرّ	بَرّ

36	35	34	33	32	31
بُشّ	بِشّ	بَشّ	بُسّ	بِسّ	بَسّ

42	41	40	39	38	37
بُضّ	بِضّ	بَضّ	بُصّ	بِصّ	بَصّ

48	47	46	45	44	43
بُظّ	بِظّ	بَظّ	بُطّ	بِطّ	بَطّ

54	53	52	51	50	49
بُغّ	بِغّ	بَغّ	بُعّ	بِعّ	بَعّ

60	59	58	57	56	55
بُقّ	بِقّ	بَقّ	بُفّ	بِفّ	بَفّ

66	65	64	63	62	61
بُلّ	بِلّ	بَلّ	بُكّ	بِكّ	بَكّ

72	71	70	69	68	67
بُنّ	بِنّ	بَنّ	بُمّ	بِمّ	بَمّ

78	77	76	75	74	73
بُوّ	بِوّ	بَوّ	بُهّ	بِهّ	بَهّ

84	83	82	81	80	79
بُيّ	بِيّ	بَيّ	بُؤّ	بِيّ	بَاّ

B: Assorted heavy and light letters

6 ض	5 ه	4 ر	3 ب	2 ظ	1 ى
12 ذ	11 ض	10 و	9 ق	8 ج	7 ط
18 غ	17 ل	16 ص	15 س	14 خ	13 ن

24 د	23 ط	22 ت	21 ق	20 ك	19 خ
30 ص	29 ش	28 ض	27 ف	26 غ	25 ج
36 ا	35 خ	34 س	33 ص	32 ز	31 ظ

42 ط	41 ت	40 ض	39 ث	38 ر	37 ع
48 ى	47 ظ	46 ذ	45 غ	44 م	43 ق
54 ص	53 ح	52 خ	51 ف	50 ط	49 ن

HOMEWORK KEY	TIME (MIN)	MON	TUE	WED	THU	FRI	SAT	SUN	PARENT INITIALS	PASS STAMP	START DATE
DUE	WEEK 1										PASS DATE
PASS	WEEK 2										

C: Dots exercise

1	بنيتث
2	بنتينث
3	تنثيبنت
4	نتثيب
5	نببيتيثتنثبتيتب
6	خجحخج
7	جحجخجح
8	حجحخجخ
9	جخحخجخح
10	خحجخجخجخحج
11	سشس
12	شسشس
13	سشسش
14	شسش
15	شسشسش
16	سششسشس
17	ضصضصص
18	صضصضص
19	ظظطظط
20	طظطظط
21	ظطظططظ

START DATE	PASS STAMP	TIME (MIN)	MON	TUE	WED	THU	FRI	SAT	SUN	PARENT INITIALS
PASS DATE		WEEK 1								
		WEEK 2								

MISTAKE KEY
STRETCH
LETTER
FLUENCY
JOIN
HARAK
PRONUNCIATI
يَسْعَىٰ

3	2	1
عغعغعغ	غعغعغع	غععغ

6	5	4
فقفقفق	قفقفقف	قفقفقف

9	8	7
قتيثغع	يخجطظف	فنبتعغ

12	11	10
بجخطظف	فبثنغع	تحخظطف

14	13
عشثتينطظفق	نجسثنبفطض

16	15
ثحشتبيفظص	غسبنتثظطق

18	17
جبتثخحشفسص	طضسشجخحج

20	19
ظصشسخحجخ	خنيبجحسفشض

HOMEWORK KEY	TIME (MIN)	MON	TUE	WED	THU	FRI	SAT	SUN	PARENT INITIALS	PASS STAMP		START DATE
DUE	WEEK 1											PASS DATE
PASS	WEEK 2											

D: Whole-word practice

3 لسرقون	2 مقاليد	1 لجالوت
6 ففريقا	5 فضلتكم	4 انتقام
9 تظاهرا	8 اسمعيل	7 فاتمهن
12 منتجورت	11 وليمحص	10 فخسفنا

15 فالتقطه	14 اسراءيل	13 استاجره
18 ويدرءون	17 يتذكرون	16 واستكبر
21 الغلبون	20 مسكنهم	19 يكفلونه
24 ليقتلوك	23 المفسدين	22 يستطيعون
27 فليعلمن	26 واشعارها	25 فاحذروه

START DATE	PASS STAMP	TIME (MIN)	MON	TUE	WED	THU	FRI	SAT	SUN	PARENT INITIALS
PASS DATE		WEEK 1								
		WEEK 2								

MISTAKE KEY

JOIN
STRETCH
HARAK
LETTER
يَسْعَىٰ
FLUENCY
PRONUNCIATI

E: Advanced letter recognition

3 اتبعک	2 فتردی	1 لنتجزے
6 مغلولة	5 يرحمكم	4 واسروا
9 اهتدے	8 الحيوة	7 لتبتغوا
12 وانبتت	11 اتيتنا	10 استهزئ

15 بالغدوة	14 العاجلة	13 مبصرون
18 اهلكنهم	17 الغفلين	16 يتبعوكم
21 وامددنكم	20 للكفرين	19 تتبيرا
24 اجتبيتها	23 فساكتبها	22 وليتبروا
27 تستفتحوا	26 يتخطفكم	25 ليستفزونك

HOMEWORK KEY	TIME (MIN)	MON	TUE	WED	THU	FRI	SAT	SUN	PARENT INITIALS	PASS STAMP		START DATE
DUE	WEEK 1											PASS DATE
PASS	WEEK 2											

F: Advanced letter recognition

3 تحملنا	2 بسيمهم	1 تيمموا
6 يمسسنى	5 اعمالهم	4 فخلقنا
9 يعمهون	8 حاججتم	7 القيمة
12 بجانبه.	11 الميسر	10 بخمرهن
15 اجمعين	14 مستقيم	13 يذرؤكم
18 يحاسبكم	17 تؤاخذنا	16 يجحدون
21 اموالهم	20 واليتمى	19 انعمنا
24 المحسنين	23 اموالهم	22 وتؤتوها
27 تخالطوهم	26 اثخنتموهم	25 اعجبتكم

	PASS STAMP	TIME (MIN)	MON	TUE	WED	THU	FRI	SAT	SUN	PARENT INITIALS	MISTAKE KEY	
START DATE											JOIN	
											STRETCH HARAK	
											LETTER	يَسْعَى
PASS DATE		WEEK 1 ▶									FLUENCY	
		WEEK 2 ▶									PRONUNCIATIO	

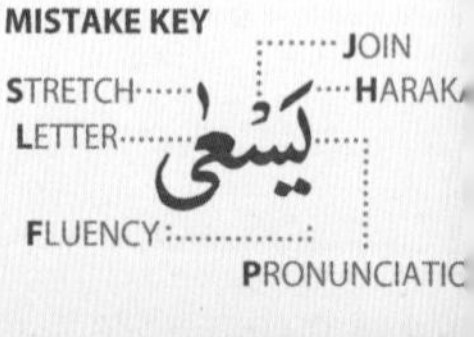

G: Assorted letters with ḥarakahs

1 فَ	2 دِ	3 لُ	4 نِ	5 جَ	6 ظُ	7 هِ	8 سُ	9 تَ
10 يِ	11 غُ	12 فِ	13 صَ	14 كُ	15 ءِ	16 مَ	17 طِ	18 عُ
19 رُ	20 حَ	21 اِ	22 ثُ	23 خِ	24 سَ	25 قُ	26 ضِ	27 غَ

28 ظَ	29 عِ	30 مُ	31 بِ	32 لَ	33 تُ	34 خُ	35 كَ	36 هُ
37 يَ	38 قِ	39 نُ	40 شِ	41 نَ	42 فُ	43 شَ	44 ءُ	45 حِ
46 سَ	47 زُ	48 خَ	49 لِ	50 بُ	51 اَ	52 طُ	53 ضَ	54 تِ

55 ضُ	56 دَ	57 زِ	58 جُ	59 وِ	60 زَ	61 ثِ	62 حُ	63 شُ
64 ءَ	65 رِ	66 طَ	67 صُ	68 ظِ	69 عَ	70 ذُ	71 مِ	72 ثَ
73 يُ	74 ذَ	75 كِ	76 هَ	77 غِ	78 قَ	79 صِ	80 وُ	81 بَ
82 رَ	83 ذِ	84 دُ	85 وَ	86 حُ	87 جِ	88 زَ	89 اُ	90 ثِ

HOMEWORK KEY	TIME (MIN)	MON	TUE	WED	THU	FRI	SAT	SUN	PARENT INITIALS	PASS STAMP		START DATE
DUE	WEEK 1											PASS DATE
PASS	WEEK 2											

H: Light and heavy letters with ḥarakahs

6 بُ	5 صِ	4 ىَ	3 خُ	2 اِ	1 طَ
12 ظِ	11 هُ	10 غَ	9 حِ	8 قُ	7 ءَ
18 سُ	17 طِ	16 وَ	15 ضُ	14 دِ	13 رَ

24 غُ	23 مِ	22 صَ	21 شُ	20 خِ	19 نَ
30 ذَ	29 ضِ	28 لُ	27 قَ	26 زِ	25 طُ
36 صِ	35 فَ	34 رُ	33 جِ	32 ظَ	31 كُ

42 اَ	41 صُ	40 عِ	39 ضَ	38 ثُ	37 غِ
48 طِ	47 تُ	46 قِ	45 حُ	44 خَ	43 كِ
54 ءِ	53 غَ	52 دُ	51 ضِ	50 زَ	49 ظُ

START DATE		PASS STAMP	TIME (MIN)	MON	TUE	WED	THU	FRI	SAT	SUN	PARENT INITIALS
PASS DATE			WEEK 1								
			WEEK 2								

MISTAKE KEY

STRETCH
LETTER
JOIN
HARAKA
يَسْعَىٰ
FLUENCY
PRONUNCIATIO

I: Light and heavy letters with stretched ḥarakahs

6 ذٖ	5 رَ	4 تَا	3 قِيْ	2 دُوْ	1 خٰ
12 ظَا	11 نَ	10 صٖ	9 دٰ	8 غُوْ	7 اِيْ
18 كِيْ	17 عٰ	16 ثَ	15 شَا	14 ءُوْ	13 فٖ

24 عٖ	23 ظُوْ	22 زِيْ	21 ضٰ	20 تَ	19 طِيْ
30 رٖ	29 شَ	28 غَا	27 بَا	26 صَ	25 عُوْ
36 دٖ	35 خَا	34 ثِيْ	33 قٖ	32 وٰ	31 ذُوْ

42 مَا	41 صُوْ	40 وٖ	39 غٰ	38 فُوْ	37 رِيْ
48 طٖ	47 بِيْ	46 ضَا	45 حٰ	44 ظَ	43 سَا
54 يُوْ	53 قَا	52 كَا	51 خُوْ	50 نِيْ	49 وُوْ

HOMEWORK KEY

✓ DUE

✓ PASS

TIME (MIN)	MON	TUE	WED	THU	FRI	SAT	SUN	PARENT INITIALS	PASS STAMP	
WEEK 1										START DATE
WEEK 2										PASS DATE

J: Similar letters with sukūn

6 بُزْ	5 بُذْ	4 بِزْ	3 بِذْ	2 بَزْ	1 بَذْ
12 بُسْ	11 بُثْ	10 بِسْ	9 بِثْ	8 بَسْ	7 بَثْ
18 بُهْ	17 بُؤْ	16 بِهْ	15 بِئْ	14 بَهْ	13 بَأْ

24 بُظْ	23 بُضْ	22 بِظْ	21 بِضْ	20 بَظْ	19 بَضْ
30 بُصْ	29 بُسْ	28 بِصْ	27 بِسْ	26 بَصْ	25 بَسْ
36 بُكْ	35 بُقْ	34 بِكْ	33 بِقْ	32 بَكْ	31 بَقْ

42 بُوْ	41 بُرْ	40 بِوْ	39 بِرْ	38 بَوْ	37 بَرْ
48 بُزْ	47 بُظْ	46 بِزْ	45 بِظْ	44 بَزْ	43 بَظْ
54 بُعْ	53 بُؤْ	52 بِعْ	51 بِئْ	50 بَعْ	49 بَأْ

START DATE	PASS STAMP	TIME (MIN)	MON	TUE	WED	THU	FRI	SAT	SUN	PARENT INITIALS
PASS DATE		WEEK 1								
		WEEK 2								

MISTAKE KEY

JOIN
HARAK
STRETCH
LETTER
يَسْعَى
FLUENCY
PRONUNCIATI

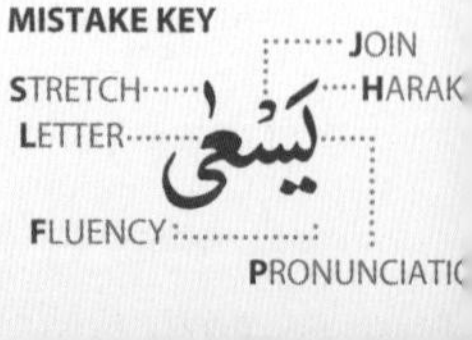

6	5	4	3	2	1
بُط	بُت	بِط	بِت	بَط	بَت

12	11	10	9	8	7
بُش	بُث	بِش	بِث	بَش	بَث

18	17	16	15	14	13
بُه	بُح	بِه	بِح	بَه	بَح

24	23	22	21	20	19
بُغ	بُح	بِغ	بِح	بَغ	بَح

30	29	28	27	26	25
بُض	بُد	بِض	بِد	بَض	بَد

36	35	34	33	32	31
بُظ	بُذ	بِظ	بِذ	بَظ	بَذ

42	41	40	39	38	37
بُل	بُر	بِل	بِر	بَل	بَر

HOMEWORK KEY	TIME (MIN)	MON	TUE	WED	THU	FRI	SAT	SUN	PARENT INITIALS	PASS STAMP	START DATE
✓ DUE	WEEK 1 ▸										PASS DATE
✓ PASS	WEEK 2 ▸										

K: Joining exercise

4 تَلۡوٗنَ	3 مُؤۡصَدَةٌ	2 مَقۡرَبَةٍ	1 اَهۡلَكۡتُ
8 مَّرۡفُوۡعَةٌ	7 بِمَجۡنُوۡنٍ	6 مَّحۡفُوۡظٍ	5 فَاَقۡبَرَهٗ
12 مَّبۡثُوۡثَةٌ	11 اَمۡهِلۡهُمۡ	10 يَفۡعَلُوۡنَ	9 تَذۡهَبُوۡنَ

16 مُّسۡفِرَةٌ	15 اَكۡفَرَهٗ	14 اَتۡرَابًا	13 يَرۡجُوۡنَ
20 مَّخۡتُوۡمٍ	19 بُعۡثِرَتۡ	18 اَحۡضَرَتۡ	17 اُزۡلِفَتۡ
24 الۡفِهِمۡ	23 تَكۡذِيۡبٍ	22 مَّشۡهُوۡدٍ	21 مَمۡنُوۡنٍ

28 ذِكۡرَكَ	27 وَرَفَعۡنَا	26 فَوَسَطۡنَ	25 فَاَثَرۡنَ
32 نَقۡعًا	31 مِثۡلُهَا	30 نَسۡمَعُ	29 نَعۡقِلُ
36 تَسۡتَكۡبِرُوۡنَ	35 يَلۡعَبُوۡنَ	34 صَدۡرَكَ	33 بُعۡثِرَ

START DATE	PASS STAMP	TIME (MIN)	MON	TUE	WED	THU	FRI	SAT	SUN	PARENT INITIALS
PASS DATE		WEEK 1								
		WEEK 2								

MISTAKE KEY

JOIN
STRETCH
HARAKAT
LETTER
يَسۡعٰى
FLUENCY
PRONUNCIATIC

L: Similar words

1. سَبَاٍ
2. فَاَنّٰى تُسْحَرُوْنَ
3. يَقْنَطُ
4. وَّصِهْرًا
5. يَقْنُتْ
6. لَقَدْ كَانَ لِسَبَاٍ
7. وَجَآءُوْ بِسِحْرٍ عَظِيْمٍ
8. اَفْتِنَا فِيْ سَبْعِ بَقَرٰتٍ
9. يُصْهَرُ بِهٖ مَا فِيْ بُطُوْنِهِمْ
10. فَلَكٍ يَّسْبَحُوْنَ
11. فَلَآ اُقْسِمُ بِالْخُنَّسِ
12. فَمَنْ اَبْصَرَ فَلِنَفْسِهٖ
13. كَلَمْحِ الْبَصَرِ
14. اِذَا مَا يُنْذَرُوْنَ
15. عَبَسَ وَبَسَرَ
16. وَلَا هُمْ يُنْظَرُوْنَ
17. اَلْجَوَارِ الْكُنَّسِ
18. قُلْ اَعُوْذُ بِرَبِّ الْفَلَقِ
19. وَهُوَ حَسِيْرٌ
20. اَمْ خَلَقْنَا الْمَلٰٓئِكَةَ اِنَاثًا
21. عَطَآءً حِسَابًا
22. وَهُمْ دٰخِرُوْنَ
23. لِلْكٰفِرِيْنَ حَصِيْرًا
24. فَاِنَّا دٰخِلُوْنَ
25. مَنْ اَرْسَلْنَا عَلَيْهِ حَاصِبًا
26. يَوْمَ نَدْعُوْا كُلَّ اُنَاسٍ

HOMEWORK KEY

✓ DUE

✓ PASS

TIME (MIN)	MON	TUE	WED	THU	FRI	SAT	SUN	PARENT INITIALS	PASS STAMP	
										START DATE
WEEK 1										PASS DATE
WEEK 2										

3	2	1
سَلٰمٌ عَلَيْكُمْ طِبْتُمْ	مِنَ الْمُدْحَضِيْنَ	وَالتِّيْنِ وَالزَّيْتُوْنِ

6	5	4
فِيْ سِدْرٍ مَّخْضُوْدٍ	وَطَلْحٍ مَّنْضُوْدٍ	وَظِلٍّ مَّمْدُوْدٍ

8	7
مِنَ الطِّيْنِ كَهَيْـَٔةِ الطَّيْرِ	تُبْتُمْ فَهُوَ خَيْرٌ لَّكُمْ

11	10	9
ثُمَّ تَابَ عَلَيْهِمْ	وَإِذَا الْمَوْءٗدَةُ سُئِلَتْ	وَالْيَوْمِ الْمَوْعُوْدِ

14	13	12
فَيَتَعَلَّمُوْنَ مِنْهُمَا	مِنَ الْقٰنِطِيْنَ	فَكَيْفَ كَانَ نَكِيْرِ

17	16	15
وَقُوْمُوْا لِلّٰهِ قٰنِتِيْنَ	مَا طَابَ لَكُمْ	وَلَا يُظْلَمُوْنَ نَقِيْرًا

20	19	18
وَهُمْ يَنْهَوْنَ عَنْهُ	لَا ظَلِيْلٍ	نَكَصَ عَلٰى عَقِبَيْهِ

23	22	21
جَعَلْنَا الشَّمْسَ عَلَيْهِ دَلِيْلًا	وَخَيْرٌ أَمَلًا	وَيَنْـَٔوْنَ عَنْهُ

25	24
لَا نُضِيْعُ أَجْرَ مَنْ أَحْسَنَ عَمَلًا	نَكَثُوْٓا أَيْمَانَهُمْ

START DATE	PASS STAMP	TIME (MIN)	MON	TUE	WED	THU	FRI	SAT	SUN	PARENT INITIALS
PASS DATE		WEEK 1								
		WEEK 2								

MISTAKE KEY

STRETCH · LETTER · JOIN · HARA · FLUENCY · PRONUNCIAT

يَسْعٰى

1 أَنْطَقَنَا اللّٰهُ

2 كَيْفَ مَدَّ الظِّلَّ

3 يَعْلَمُوْنَ الْحَقَّ

4 وَإِذْ نَتَقْنَا الْجَبَلَ فَوْقَهُمْ

5 يَأْلَمُوْنَ كَمَا تَأْلَمُوْنَ

6 يُعَلِّمُوْنَ النَّاسَ السِّحْرَ

7 لَيُخْرِجَنَّ الْأَعَزُّ مِنْهَا الْأَذَلَّ

8 مَا ضَلَّ صَاحِبُكُمْ

9 نَاضِرَةٌ

10 أَهْدٰى مِنْ إِحْدَى الْأُمَمِ

11 إِلٰى رَبِّهَا نَاظِرَةٌ

12 فَظَلَّتْ أَعْنَاقُهُمْ لَهَا خٰضِعِيْنَ

13 عَضُّوْا عَلَيْكُمُ الْأَنَامِلَ

14 وَاخْفِضْ لَهُمَا جَنَاحَ الذُّلِّ

15 قَالَ إِنَّكَ مِنَ الْمُنْظَرِيْنَ

16 وَلَا يَسْتَطِيْعُوْنَ لَهُمْ نَصْرًا

17 فَزَادَتْهُمْ رِجْسًا إِلٰى رِجْسِهِمْ

18 كَشَفْنَا عَنْهُمُ الرِّجْزَ

19 فَسَآءَ مَطَرُ الْمُنْذَرِيْنَ

20 وَلَا يَغُوْثَ وَيَعُوْقَ وَنَسْرًا

HOMEWORK KEY	TIME (MIN)	MON	TUE	WED	THU	FRI	SAT	SUN	PARENT INITIALS	PASS STAMP	
✓ DUE	WEEK 1										START DATE
✓ PASS	WEEK 2										PASS DATE

1 فَتَنَادَوْا مُصْبِحِيْنَ

2 فَرِحِيْنَ بِمَآ اٰتٰهُمُ اللّٰهُ

3 كَانَ مِنَ الْمُسَبِّحِيْنَ

4 وَتَنْحِتُوْنَ مِنَ الْجِبَالِ بُيُوْتًا فٰرِهِيْنَ

5 فَلَوْ اَنَّ لَنَا كَرَّةً

6 وَلَسَوْفَ يُعْطِيْكَ رَبُّكَ فَتَرْضٰى

7 وَلَا هُمْ مِّنَّا يُصْحَبُوْنَ

8 الَّذِىْ يُؤْتِىْ مَالَهٗ يَتَزَكّٰى

9 اِذِ الْاَغْلٰلُ فِىْٓ اَعْنَاقِهِمْ وَالسَّلٰسِلُ يُسْحَبُوْنَ

10 قُرَّةَ اَعْيُنٍ

START DATE	PASS STAMP	TIME (MIN)	MON	TUE	WED	THU	FRI	SAT	SUN	PARENT INITIALS
PASS DATE		WEEK 1								
		WEEK 2								

STRETCH · LETTER · FLUENCY · JOIN · HARA · PRONUNCIAT

AUTHENTIC ISLAMIC KNOWLEDGE
MODERN AND TRADITIONAL METHODS
AGE-APPROPRIATE CONTENT
TRIED AND TESTED
PROGRESSIVE LEARNING
ASSOCIATED WORKBOOKS
LESSONS AND MORALS
SCHEMES OF WORK

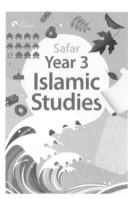

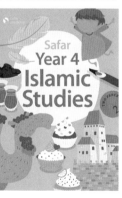
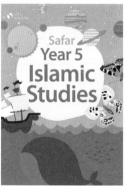

SAFAR **ISLAMIC STUDIES TEXTBOOKS**

SAFAR **WORKBOOKS**

 ORDER ONLINE AT **SAFARACADEMY.ORG**

ILLUSTRATED ISLAMIC STUDIES SERIES >

We've honed our Islamic Studies syllabus with more than a decade of practical feedback from teachers and students across the UK. With content ranging from the stories of the Prophets to contemporary 21st Century issues, these beautifully illustrated books blend traditional Islamic Sciences and modern educational teaching methods to enhance learning.

AUTH

ESTIMATED LE

VIRTUES OF DU

TRIED AND TESTED

PROGRESSIVE LEARNING

LEVELS AND TARGETS

CLEAR AND SIMPLE LAYOUT

SYLLABUS INTEGRATION

PROGRESSIVE
LEVEL SYSTEM

Target 5

10. On seeing something pleasing in your self, family or wealth

This is Allāh's will — مَا شَاءَ اللهُ

and there is no strength except with Allāh.[1] — لَا قُوَّةَ إِلَّا بِاللهِ

11. After mention of the Prophet's name

Whenever you mention the Prophet ﷺ or hear his name, you should say:

Peace and honour of Allāh be upon him. — صَلَّى اللهُ عَلَيْهِ وَسَلَّمَ

Excellence: The Prophet ﷺ said that Allāh will send ten blessings upon you.

Target 6

12. On waking up from sleep

To Allāh belongs all praise, Who — اَلْحَمْدُ لِلّٰهِ الَّذِي

gave us life — أَحْيَانَا

after causing us to die, — بَعْدَ مَا أَمَاتَنَا

and to Him is the final awakening. — وَإِلَيْهِ النُّشُوْرُ

Excellence: The Prophet ﷺ said Shayṭān ties three knots on the back of a person's head when he goes to sleep. If a person remembers Allāh on waking up, one of these knots is undone.

MISTAKE KEY — LETTER — HARAKAH — JOIN — STRETCH — PRONUNCIATION — FLUENCY

13. Before sleeping

O Allāh, with Your name — اَللّٰهُمَّ بِاسْمِكَ

I die and I live. — أَمُوْتُ وَأَحْيَا

Excellence: One's resting will be complete with the name of Allāh.

Target 7

14. Before entering the toilet

With the name of Allāh. — بِسْمِ اللهِ

O Allāh, — اَللّٰهُمَّ

I seek your protection — إِنِّي أَعُوْذُ بِكَ

from male and female devils. — مِنَ الْخُبُثِ وَالْخَبَائِثِ

Excellence: The Prophet ﷺ said the eyes of Shayṭān will be covered.
Note: The du'ā' should be recited just before entering the toilet. If one forgets to recite it before entering, he should say it in his heart and not with his tongue.

15. After exiting the toilet

[I ask] Your forgiveness. — غُفْرَانَكَ

Excellence: Whilst in the toilet, it is forbidden to mention Allāh's name. Also, we could have worshipped Allāh more with the energy from the food we have digested. By reciting this prayer, we hope Allāh forgives us for these shortcomings.

MISTAKE KEY — LETTER — HARAKAH — JOIN — STRETCH — PRONUNCIATION — FLUENCY

SAFAR **LEARN BY HEART BOOKS**

...meaning

How perfect is Allāh![3]

Allāh is the greatest.[4]

Excellence: The Prophet ﷺ said
beloved to Allāh.[5]

[3] Bukhārī: 115. [4] Bukhārī: 4741. [5] Muslim: 57

EXCELLENCE &
AUTHENTICITY

ORDER ONLINE AT **SAFARACADEMY.ORG**

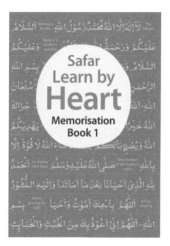

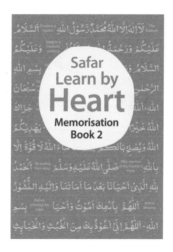